Bordeaux, le tanin noir

Avec Pierre Cocrelle-Stemmer, Lionel Germain,
Hervé Le Corre, Gilles Mangard, Annelise Roux,

Éditions Autrement **Littératures/Romans d'une ville**

Amour fou

Annelise Roux

Pour Pietro Lipp-Behn et Michelango (Mel) « Cara »

Il y avait eu ces temps éblouis du printemps dernier, six mois plus tôt, empreints d'une sorte de désinvolture et d'un peu d'inconscience – certainement, il ne se rendait pas encore tout à fait compte de ce qui était sur le point de se passer, il préférait l'ignorer, à moins qu'il ne fût pas apte à en estimer l'entière portée –, où Simon Laulan prenait la route sans y penser, presque comme un moment de méditation, hésitant quant à la bretelle qu'il convenait d'emprunter au sortir de la rocade entre le chemin ordinaire et la voie rapide, les yeux fixés sur les panneaux comme sur un jeu mystérieux de Yi-king, révélateur de destinations cryptées, secrètes, aux bifurcations inconnues... Au-dessus de Mérignac, les avions survolaient l'aéroport dans des grondements de bombardiers, rasant en plafond bas les bouliers bicolores, rouge et blanc, des lignes à haute tension encâblées par grappes au-dessus des magasins de cuisine et de meubles en gros.

Auparavant, juste après le rond-point devant la mairie, il avait croisé sur la droite le camp gitan d'Eysines nimbé d'ordures, toute lessive dehors, claquant au vent, avec des gosses débraillés et morveux qui regardaient passer les voitures, abrités sous des auvents de mobile homes déglingués. Des chiens crevards l'avaient poursuivi sur cinq cents mètres, et il s'était pris à penser qu'il risquait d'en écraser un, ce qui constituerait une sacrée malchance. L'idée de la déveine complète ne l'avait pas encore atteint. Il taillait la route sans se soucier trop de ce qui serait susceptible de le mettre en retard, impatient seulement de se retrouver auprès d'elle, hanté par le souvenir de leur dernière nuit – son regard, alors qu'il lui repoussait les cheveux en arrière ; sa façon de se mordre les lèvres légèrement. À ce moment-là, il avait remarqué sa pâleur extrême, la maigreur de son cou et de ses bras, mais comme toujours elle semblait regarder ailleurs et ne disait rien.

Il se revit assis au volant de la Jaguar, la première fois qu'il l'emmenait. Suzanne assise à la place du passager, ses valises à l'arrière, mal faites : il se souvint d'une manche de chemise ou d'une jambe de pantalon coincée dans la jointure, tire-bouchonnée, maculée par la graisse dont il avait lui-même enduit les charnières du bagage. Le confort de la voiture l'anesthésiait en partie. Il roulait sans s'en rendre compte de plus en plus vite, faisant confiance à l'ordinateur central et aux divers avertisseurs sonores censés le mettre en garde contre l'existence de tout obstacle, d'un quelconque danger – autant de gadgets infantiles, mais la vitesse le réconfortait toujours un peu, il était conscient de cela –, yeux rivés sur la lumière éblouissante de l'après-midi, avec en tête la pensée poignante que cette lumière était peut-être en train de lui brûler définitivement la rétine. Ni lui ni Suzanne n'avaient sans doute pris dans son entier la mesure de la situation, mais quand bien même lui l'aurait fait, cela n'aurait rien changé ; il se serait au contraire d'autant plus appliqué à la tirer de là, faire en sorte qu'elle ait moins peur, ne soit pas l'objet d'une souffrance si inhumaine et indicible, tout simplement parce qu'elle lui avait au préalable, sans en avoir pourtant la moindre conscience, sauvé la vie des milliers de fois, de mille manières équivalentes et probablement supérieures à ce qu'il était susceptible d'opposer au sort qui lui semblait à présent peser sur eux, le *mal de ojo*, comme l'auraient désigné les Tsiganes stationnés par dizaines sur le stade, derrière le parking du collège de Panchon...

À ce propos, Simon songea de manière fugace au choix qu'il serait tenu de faire dans la semaine, pour engager une équipe de vendangeurs destinée à récolter la propriété des Chalets, sur la commune de Moulis. Il était las des habituelles castagnes entre groupes rivaux et, afin d'éviter les rixes, s'était fait à la perspective de ne travailler qu'avec un seul clan à la fois. Sa préférence allait aux Gitans habiles et gouailleurs, facétieux, mais tout le monde ne l'entendait pas de cette oreille et, bien qu'il fût le propriétaire et le gérant du cru, il n'ignorait pas qu'il aurait à défendre son point de vue auprès de son chef de culture, Henri Borel. Henri le connaissait depuis l'enfance et lui reprocherait d'engager des crève-la-faim impossibles à encadrer plutôt que d'honnêtes étudiants désireux de se faire un peu d'argent.

Il avait raison, cependant Simon aimait les Gitans bruyants, à la fois timides et forts en gueule, ainsi que les ventres vides. Il s'était montré extrêmement pointilleux au moment de la remise en état des bâtiments où logeaient les saisonniers, n'hésitant pas à renvoyer les maçons et les peintres qui tentaient de l'arnaquer en trichant sur la qualité des matériaux, sous prétexte que ces gens étaient « habitués à dormir dans des cabanes de planches ». Chaque fois qu'il était susceptible d'embaucher quelqu'un, il ne manquait pas de le faire, et s'il accueillait un débutant pour une formation en bonne et due forme, à moins que le novice ne restât en guise d'apprentissage à se saouler toute la sainte journée dans le chai à barriques, il le payait en conséquence, sans barguigner. À l'exception de la Jaguar et de la magnificence du cadre dans lequel il avait pour habitude de vivre (cela était en soi déjà beaucoup, inutile de chercher à nier pareille évidence), on ne pouvait pas dire qu'il menât grand train. Ce n'était un secret pour personne que les Manouches eux-mêmes roulaient dans des voitures tapageuses, généralement des allemandes customisées, enrichies d'enjoliveurs recherchés, d'intérieurs en cuir personnalisés et très excentriques. Il ne volait rien, en ce sens qu'il travaillait aussi dur que n'importe lequel de ses ouvriers, à la vigne, d'abord, puis au chai, et n'en aurait pas licencié un seul pour tout l'or du monde – à moins qu'il ne se fût agi d'un cossard particulièrement obstructif, vicieux.

Contrairement à nombre de notables, il n'était pas attiré par la politique. Il ne se sentait pas concerné par les sempiternels discours des élus locaux, députés, maires et autres présidents de syndicat, et se contentait de mettre en pratique ses idées sociales – notion qui suffisait à elle seule à faire tiquer son père, si tant est qu'elle parvînt à percer le brouillard opaque de son cerveau – d'une façon concrète, dépourvue de militantisme.

Sa mère était la fille d'un pasteur protestant. Elle s'était mariée à un riche colon d'Afrique du Nord, après être venue travailler comme institutrice à Hammam Bou Hadjar, près d'Oran. Les noces avaient eu lieu en grande pompe à la villa Bastos. Ensuite, les époux disputaient des parties de tennis entre gens de « bonne compagnie », au Lawn Club, venaient prendre l'air en métropole vêtus de costumes clairs et de petites robes basques, à Biarritz ou à Font-Romeu. Au sortir de la guerre, les domaines bordelais ravagés par le phylloxéra étaient pour la plupart laissés à l'abandon et ne valaient plus un clou. Château Lascombes était en friches. Château Margaux et Château Rauzan-Ségla étaient à vendre. Le père de Simon, qui jusqu'ici n'avait jamais fait commerce que de grains et de vin en vrac, avait su prendre le train en marche. Il avait toujours eu du flair pour ce style de choses et, là-dessus, son fils ne songeait pas à l'accabler ; simplement ce n'était pas son intuition qui était en jeu, mais sa capacité dévorante de survie, le sacrifice de son intuition sur ce seul et unique autel.

Le 8 mai 1945, neuf ans avant le début de l'insurrection de

novembre 1954, dix-sept ans avant les accords d'Évian de mars 1962, les coups échangés à Sétif entre partisans de l'indépendance de l'Algérie et forces de l'ordre au moment de célébrer la victoire lui avaient mis la puce à l'oreille. Cinq ans plus tard, il se portait acquéreur d'un cru classé dans le Médoc et émigrait avec les siens vers la France. Son fils n'était pas encore né.

Néanmoins Simon, bel et bien, était ce qu'il convient d'appeler un fils de famille : ce qu'il possédait, il l'avait reçu en héritage. Penser à cela créait en lui un indubitable sentiment de découragement. Il s'était assez rapidement désintéressé de la religion (du moins, quant à la forme sous laquelle cela lui avait été présenté et proposé). Le personnage du Christ l'attirait sans conteste, il trouvait cette figure exceptionnellement attachante, pourtant cette fascination et cette tendresse étaient tout intellectuelles et non assorties d'espérance, d'une nature semblable à celle éprouvée par García Lorca, et d'autres prophètes produisaient sur lui un effet comparable, sans qu'il pût démêler avec certitude lequel parmi ceux-là suscitait de sa part une croyance un tant soit peu ferme. Aucune révérence ne le liait à l'Église, réformée ou non, et la résurrection des corps – quelque intérêt qu'il pût y avoir à le réfléchir ainsi – n'était pas d'après lui la chose la plus réaliste qui vous pendît au nez. Ces dernières années, il n'avait eu pour seul bagage et traîné après lui qu'un sentiment de vide bien connu, très ancien. Bordeaux : il y songeait avec un mélange de plaisir, d'écœurement et de commisération.

Écœurement de ses dix-sept ans fourbus et affamés, lorsque, dans ces fameuses « soirées rallyes », il ne rencontrait que de jeunes bourgeoises creuses, venues d'un autre monde, maquillées comme des poupées et buvant des coupes de punch-curaçao en robes de soie. Elles ne lui voulaient aucun mal ; il s'agissait juste de la partie émergée d'un isolement beaucoup plus étendu, non dit, où tous les protagonistes avaient un paquet d'excuses et de justifications à disposition ; le mélodrame des élites en train de prendre l'eau avant de sombrer, cependant il y avait là une esthétique à laquelle il avait cessé d'être sensible. Pour finir, il était allé voir une pute, dans un baraquement que lui avait indiqué un autre lycéen sur l'autoroute près de Libourne. C'est à cette occasion qu'il avait mesuré ce que pouvait être la détresse humaine. L'humilité de la fille, tandis qu'il embrassait ses petits poils humides, était restée gravée en lui. Elle n'était pas jeune, et il se souvenait encore de la suavité de sa chair sans défense, distendue et sucrée comme une rondelle de betterave, un fruit blet... Mais la ville elle-même, la Garonne lourde sous le pont de pierre – cette espèce d'endormissement un peu hypocrite du fleuve et des façades, cette sexualité latente, ce secret partout présent –, tout cela lui plaisait. Les terres à vigne, surtout, lui inspiraient un sentiment sensuel et violent, profondément érotique.

Ces préoccupations lui sortirent de l'esprit d'un coup, tandis qu'il se retrouvait de nouveau prisonnier de souvenirs printaniers et indolents – toujours eux, toujours les mêmes –, Suzanne à côté de lui dans la voiture, leur façon de rouler sans souci apparent, vers un but qui semblait indéterminé.

Il avait beau savoir avec du recul que tout cela était faux, galvaudé par son besoin perpétuel d'arranger la réalité afin de pouvoir l'endurer, l'évocation des pommiers immaculés, des petites brumes blanches des aubépines qui fleurissaient à l'époque en bord de route lui était d'une insupportable douceur. Il sentit brutalement qu'il risquait de se mettre à pleurer et il eut honte, non à l'approche de ces larmes, mais car il savait qu'il n'en verserait aucune. Il commençait à s'habituer à cette sensation de creux dans son ventre, exactement comme si quelqu'un lui eût retiré des organes vitaux et l'eût laissé vivre en l'état. Ces larmes lui semblaient écœurantes, de nature à ouvrir en lui une brèche immense, absolument inguérissable de façon autonome puisqu'elle seule, Suzanne, sécrétait ce mystère, détenait la guérison en son propre corps, dans un repli contaminé, lointain et, peut-être, inaccessible de son âme.

Il se remémora avec une précision aiguë la teinte exacte des nuées de prunus, le long d'allées menant à certains grands châteaux alentour, troncs noirs et feuillage foncé envahi par un brouillard rose effroyablement cucul, paradisiaque telle une robe de tulle à trois sous, sur une brochure publicitaire vantant un mariage beauf et ricain, à Las Vegas ou Reno : le genre de séjour avec lit à eau en forme de cœur, champagne tiède et bretzels. Rien que d'y penser, il en eut la nausée, bien qu'il sût pertinemment au fond de lui que cette nausée-là n'eut rien à voir avec la quelconque détestation symbolique d'un lieu, le mépris que l'on pouvait dans une certaine mesure s'attendre à voir un nanti dans son style accorder à de crasseux rideaux rouges, ni même avec une certaine inclination à l'immaturité, un certain sentimentalisme frelaté de sa part : pourquoi pas, dans le fond ? Il en était à ce point de sa vie, une quarantaine d'années, un mariage raté dans les pattes, quelques maîtresses en trop et pas mal de casse, où il se prenait à désirer que quelqu'un, ou quelque chose, fût de nature à lui consentir autrement qu'en théorie une place particulière en ce monde, un échange qui ne fût pas un simple troc.

Sur le chemin de Labarde, au printemps, les fossés étaient emplis de roseaux, de saponaires... Bon Dieu ! en y repensant, ce que toutes ces fleurs mauves pouvaient être morbides, malgré tout !

Tout le problème venait de ce qu'elles faisaient aimer l'idée même de la mort ; quelque chose d'infiniment délicat et reposant, de comparable au vert frais des prés recouverts par la jeune herbe du mois d'avril. Comme un baume, sur sa propre personnalité épuisée. Oui, peut-être n'avait-il pas attendu Suzanne pour désirer la mort – si ardemment, parfois... Et il n'attendait pas mieux que d'être contredit là-dessus. Suzanne avait peur de cette facette en lui ; il avait eu à combattre une fâcheuse tendance à se réfugier dans la boisson, les femmes, qu'elles fussent d'honnêtes putes ou de ces filles qui riaient bêtement, un peu trop mais sans penser à mal, l'excès de travail ou encore le sursaut tranchant, si net et roboratif, de la cocaïne, ramant à contre-courant de toutes ses forces pour tenter de la ramener vers la rive, car Suzanne avait peur de cette facette en lui et n'avait pas eu loisir, pour sa part, d'effectuer le moindre choix quant aux entraves qui la faisaient trébucher. Elle sentait se resserrer autour d'elle des liens dont elle ne parvenait plus à s'affranchir.

Maintenant c'était l'automne, un de ces mois d'octobre empreints de plénitude, mortifère. Il était en vendanges et avait déjà rentré quelques belles cuves – les merlots plus précoces, qui donneraient leur rondeur au vin lors des assemblages, avec ce petit goût typique sur la langue, ce fruité assez exubérant au moment où, chaque matin, il partait sur le terrain, armé d'un appareil destiné à mesurer les degrés et croquait des baies, afin de surveiller la parfaite maturité des parcelles... Les cabernets tanniques et élégants ne se feraient plus attendre très longtemps.

Pas de pluie. Un temps sec, en dépit de légères précipitations en début de semaine ; cela avait permis aux grains de gonfler, tandis que la vendange en vert (l'éclaircissement raisonné, bien avant la véraison, des ceps trop chargés en fruits) régulait le rendement. Effectué au bon moment, vers le mois d'août, un effeuillage adapté garantissait un ensoleillement optimal des grappes.

Durant les temps morts, la troupe courait se réfugier à l'ombre des arbres (jamais sous les noyers, dont les Gitans pensaient qu'ils distillaient une ombre trop froide et portaient malheur), les femmes s'aspergeant la gorge et les aisselles d'eau.

À midi, les vendangeurs effectuaient une longue pause et partaient déjeuner à quelques kilomètres des Chalets, dans un chai de stockage désaffecté, au lieu-dit la Verdote, étant entendu que la paie ne comprenait la prévision d'aucun casse-croûte : ce mythe des joyeuses tablées et des déjeuners sur l'herbe paraissait à Simon légèrement décati, aussi nauséabond en tout cas que l'image d'Épinal du cow-boy Marlboro, dont il avait entendu dire par ailleurs qu'il était mort d'un cancer des voies respiratoires – quelque chose de faux, qui avait la peau dure, néanmoins –, et ne concernait guère plus que les très grands châteaux, pour la plupart ceux qui avaient été rachetés par des compagnies d'assurances susceptibles de prendre en charge la restauration d'une vingtaine de personnes, grâce à un système de cantine ; dans la réalité, la paie était bonne, et il garantissait le remboursement des frais de repas.

Vers six heures, alors que le soleil était encore chaud et amorçait sa descente derrière les arbres, Simon prit place dans la Jaguar. Son confort ouaté ainsi que le claquement assourdi de la portière lui donnèrent aussitôt mal à la tête. Il aperçut Henri Borel de loin, occupé à fumer une cigarette sous le hangar.

– Un problème ? lui cria-t-il par la portière.

Il avança un peu, ralentit pour s'arrêter à sa hauteur.

– Non, dit Henri.

Simon le connaissait comme sa poche. C'est Henri qui allait à la pharmacie lui acheter des médicaments, lorsqu'à l'âge de huit ou neuf ans il souffrait de bronchites et que, des combles à la cave, il ne restait pas âme qui vive au château – frères et sœurs partis dîner en ville, sans regret ; mère requise par l'instruction religieuse, à Lesparre, où elle s'efforçait avec une inusable naïveté de remettre dans le droit chemin de jeunes catholiques réputés dubitatifs et sur le point de basculer, en fait narquois et bornés, convaincus de la justesse de leur bon sens, se gaussant de ses velléités de redressement huguenotes ; père absent (mais lui était sans doute en train de siéger dans l'une de ses éternelles réunions, en compagnie de courtiers, de dégustateurs et de négociants impavides : son père, qui lui avait offert pour son anniversaire un cor de chasse, alors que Simon ignorait la musique).

Par habitude, Simon prit soin de ne pas reposer illico sa question, cela ne donnait jamais rien de bon avec Henri, mais il avait hâte d'en finir pour rejoindre Suzanne. Jusqu'en septembre, il s'était arrangé pour se rendre auprès d'elle trois ou quatre fois par semaine, cependant, en période de récolte, il ne pouvait y aller plus de deux fois. Il pensait avec anxiété au moment où les fermentations malolactiques seraient lancées : aussi imprévisibles qu'une casserole de lait sur le feu.

– Mais encore ? dit-il enfin à Henri, et de nouveau le regard d'Henri eut cette vaine volonté de ne pas rencontrer le sien, comme pour mieux signifier que quelque chose ne tournait pas rond.

– Tout va bien. Je t'assure.

Son inimitable voix. Une voix qui depuis toujours cherchait à le délester de ses excès de souffrance et de solitude.

– Ne me fais pas perdre mon temps, tu veux ?

Simon masquait son exaspération, parce qu'il savait qu'elle ne correspondait à rien de véritable, et qu'elle ne changerait rien.

– Personne n'habite dans cette caravane, fit remarquer Henri.

Il considérait d'un œil critique et distant le gros camping-car abandonné depuis des lustres sous le hangar, reposant sur des cales, à trois mètres d'eux.

– Non. Que comptes-tu en faire ?

Il fallait à présent que Simon parte, dût-il laisser en plan la terre entière, la terre en cendres derrière lui.

– Un pauvre hère, dit Henri.

C'est l'étrangeté de cette formule qui l'avait frappé. Son caractère désuet. Ils auraient pu en rester là. Parce que Simon avait confiance en lui. Seulement Henri, peut-être en raison de cette confiance, avait cru bon d'ajouter : « Il sait travailler. Mais il a fait de la prison. Longtemps, à ce qu'il paraît. Plusieurs années. »

Après il s'était contenté de lui apprendre son nom, Gérard Clavet. Plus tard, en roulant à tombeau ouvert en direction de la rocade, Simon avait repassé ce son dans sa tête, comme un disque rayé, une rengaine rebondissant contre les parois capitonnées de son propre esprit... Il s'était ensuite mis à rire bruyamment, tout seul, dans la voiture, en songeant à la mine de chattemite d'Henri, mains appuyées sur la glace baissée, commençant à presser le pas tandis qu'il démarrait, le poursuivant sur sa jambe raide tout en lui racontant son altercation avec le propriétaire d'un terrain limitrophe.

Sacré Henri ! Il n'avait pas son pareil, finalement, pour se mettre les voisins à dos – il ne le faisait pas exprès, cependant il était un guerrier fier et intraitable. Il se faisait vieux. Dans quelques années il aborderait la réelle vieillesse, mais pour l'instant il était encore capable de soutenir d'absurdes épreuves de force – complètement à perte, s'entend. Non pas pour la « beauté du geste », ce penchant-là lui eût semblé par trop artificiel, poseur, venant de lui : pour rien. Car il était un vieux bonhomme doté d'une caboche de bourrique, et qu'il n'y pouvait pas grand-chose, si son caractère était ainsi fait. Il était de ceux qui pensent que l'on peut envoyer sans hésitation dinguer les pots de fer ; cela valait infiniment mieux, à ses yeux, que de devoir s'excuser auprès de petits chefs stupides, pleins de morgue. Dégoûtés par l'utilisation des Sanisettes chimiques montées pour eux et prévues à cet effet (leur principe devait également les effrayer, mais cela, jamais ils ne l'admettraient), les Gitans qui vendangeaient les parcelles du côté de Listrac n'avaient rien trouvé de mieux à faire que de déféquer dans un champ de maïs au bout des rangs, constellant l'endroit d'une myriade de feuilles de papier hygiénique rose. Sans doute Henri eût-il cherché un arrangement, si le propriétaire du champ n'avait pas menacé de prévenir l'inspection du travail afin de « contraindre cette racaille à nettoyer la saloperie dans laquelle elle trempe ». Henri avait soutenu que, vu d'avion, le spectacle de cette fumure dans les maïs devait être charmant, évoquant la floraison de tulipiers, l'envol de flamants sauvages, en Camargue. Il avait surtout dit à l'homme de ne pas continuer à le chicaner là-dessus, ou bien il pourrait à son tour lui chercher des noises, quant au consentement à certains droits de passage qui les liaient.

Le seul avantage que trouvait Simon au nouvel agencement de ses journées pendant les vendanges est qu'il ne pouvait plus hésiter sur tel ou tel itinéraire, comme il le faisait au printemps dernier... Il était contraint d'aller droit au but, de ne pas perdre de temps s'il voulait profiter au maximum du laps de temps des visites. Six mois auparavant, il trouvait encore le moyen de fignoler ses trajets, peut-être pour y puiser la force, l'apparence de l'indolence qui l'avaient fait tenir, les premiers mois. Il lui arrivait d'emprunter le chemin classique, par l'autoroute, ou bien il optait pour n'importe quel chemin long, Villenave-d'Ornon, Castres-sur-Gironde, Virelade où il s'était arrêté une fois, chez une vieille peau peinturlurée et snob dont *Sud-Ouest* vantait le merveilleux jardin d'iris, ainsi de suite, jusqu'aux terres de Sauternes où le clocher doré du village de Barsac le prévenait qu'il était allé trop loin (il ne savait pas si ce fameux clocher était réellement doré, mais à l'heure où il passait devant, il l'apercevait tel quel) – alors il revenait sur ses pas et passait le pont, vers Cadillac.

Cadillac. Ce nom réveillait en lui des terreurs enfouies, qui avaient noms isolement, chambre close, sangles, électrochocs. Comme tous les Bordelais, gosse, il fredonnait souvent cela sur le mode anodin, vide de sens, d'une comptine, *Picon-Cadillac*, et c'était là un refrain et non pas la désignation d'un centre de soins, une chansonnette sans portée, une taquinerie mièvre que l'on adressait à quelqu'un d'un peu sot, qui évoquait à la limite une boisson comme le Picon-bière, le Picon-grenadine... Jamais l'idée ne lui serait venue d'abandonner Suzanne : à une certaine époque, les toutes premières semaines, disons, il avait simplement eu besoin de l'existence d'un sas, pour que cela ne le corrode pas jusqu'à la moelle. Il s'arrêtait en route boire quelques verres, non sans avoir pris soin de se munir au préalable d'un rince-bouche afin de ne pas empester l'alcool, il lanternait au comptoir en compagnie d'ivrognes ou de filles paumées, ou encore stationnait devant un paysage vide un long moment, radio éteinte, juste occupé à suivre du regard le balancement des branches.

Folle, bien sûr, si l'on veut : il revit Suzanne dans la cour, en pleine nuit, filant pieds nus en direction de la route, les cheveux emmêlés. La très légère fixité de ses yeux, tandis qu'il la ceinturait, la serrait contre lui pour l'empêcher de partir. L'après-midi, elle lui avait dit ne plus se souvenir si son père était mort et Simon avait dit : « Oui, il l'est. Terrassé par un infarctus du myocarde, la semaine dernière. » La gifle qu'elle lui avait donnée en plein visage. Sa manière de le dévisager quelques secondes, la mâchoire pantelante, sans larmes, absolument sans larmes. À ce moment-là, elle s'était mise à pleurer, et son chagrin avait paru être à Simon la chose la plus terrifiante de la terre. Il savait désormais au plus profond de lui que tout un monde secret, infiniment sensible et vibratile, appartient aux faibles : l'esprit de Suzanne le protégeait, il s'en parait comme d'un manteau qu'aucune pluie n'était susceptible de détremper, aucun froid de percer.

Cette fois encore, par exemple, où une voiture devant eux avait percuté un chat et où elle l'avait forcé à s'arrêter sur le bas-côté pour vérifier si l'animal vivait encore. Lui ne voulait pas, naturellement, il ne tenait pas le moins du monde à être affronté à ce style de détresse inutile. Elle lui avait dit : « Je ne peux pas vivre comme ça ; jamais nous ne devrons le faire, tu m'entends ? », et alors il l'avait laissée descendre. Son dégoût intense, cette espèce de nausée qui l'avait saisi lorsqu'elle avait tenté de soulever le cadavre – le chat était on ne peut plus mort, grâce à Dieu. L'arrière-train, broyé, était maculé d'excréments, mais aujourd'hui Simon ne savait pas si elle s'en rendait compte. Parce qu'elle avait tellement d'amour dans le cœur, bien qu'elle en ait si peu reçu. Et lui, toujours avec son foutu besoin de relâcher la pression, d'éluder... Il savait pourtant que sa façon à elle, son intrépide façon à elle, après cela, de fixer les formes sur la route afin de s'assurer qu'il s'agissait de chiffons abandonnés ou de fragments de pneu était le seul repos valable que l'on puisse espérer, le seul qui soit à prendre en compte sur cette terre de fureur et de damnation. Mais il était trop lâche, à cette époque, pour pouvoir le vivre ainsi. À ses yeux, Suzanne ne souffrait que d'une espèce d'intensité excessive, qu'il s'appliquait à contrebalancer en lui offrant ses os, un squelette. Il savait que cela la protégerait autrement du pire que la confiscation autour d'elle de tout objet tranchant.

Parfois, il pressait l'accélérateur et, de la petite sensation de lévitation illusoire que conféraient l'immobilisme apparent et la rapidité de la voiture, extrayait une courte et puissante bouffée d'espérance ; cela n'était pas plus valable que de regarder les biches fuir le long des grillages de la forêt domaniale, près de La Brède, mais ne faisait pas moins de bien. C'est un des points qu'il appréciait, en s'élançant sur l'autoroute : apercevoir le panonceau signalant le château où Montesquieu était né. D'autant qu'il était l'ami de l'un de ses descendants. À ce titre, il se souvint du regard limpide, délavé par l'alcool, le désarroi ou bien était-ce la tristesse ? de son ami Secondat, un soir qu'il l'avait invité à dîner. Les massacres de cerfs et de sangliers, les portraits de famille écrasants (mais peut-être était-ce une seule et unique chose) sur fond de toile de jute rouge, dans la salle à manger. « Il faut être né ici pour pouvoir le supporter », disait Secondat. Il se resservait à boire dans une très grande impassibilité. Simon songeait alors à ce que la malchance signifiait pour lui, siroter un cognac hors d'âge en ce mausolée, sous des têtes naturalisées de renards, des portraits délabrés... Une seconde épouse appartenant à la bonne société américaine ou anglaise, à laquelle il n'avait pas dû dire trois mots depuis leur mariage et qui le houspillait sans cesse pour qu'ils tiennent leur rang. Simon le plaignait sincèrement.

La relativité de toute chose l'atteignait et le ravageait plus que jamais, sans qu'il sût quel apprentissage en retirer. Pour ce qui est des infaisables comparaisons, il lui suffisait d'évoquer l'arrivée des parents de Suzanne en France. Ils étaient pieds-noirs également – sans doute était-ce pour cette raison que Mme Gomez avait été embauchée comme ouvrière à la vigne –, mais pas « de leur monde »... Le monde des petits Blancs miséreux tels qu'ils pouvaient être décrits par ailleurs dans certains romans sudistes, dépourvus de toute possession, sans instruction particulière. Écrasés de pauvreté, vivant dans des baraquements sans eau courante, des taudis, après leur expulsion de Tunis ou d'Alger. Des forces de travail brutes. Des visages éplorés, filmés sur les quais de Marseille ou de Sète, avec des grappes d'enfants groggy que l'on traîne à bout de bras, des bébés pleurnichant dans des couffins. Des mains calleuses, des reins que n'épuisaient jamais les mouvements de bas en haut nécessaires au rabattage ou au pliage. Le père de Suzanne, qu'à Moulis tout le monde surnommait « Papa Gomez », travaillait au guichet, à la poste de Soussans. Il soulevait sa casquette, toutes les fois où il croisait le vieux Laulan.

« Des filles comme elle, un homme comme toi peut en avoir des dizaines », avait dit Laulan père à Simon, à propos de Suzanne. Parce qu'elle n'était pas riche, qu'elle avait trente-cinq ans et non pas vingt, et ne possédait pas la malléabilité archaïque nécessaire. Il ne voyait pas très bien ce qu'elle pourrait leur rapporter, si ce n'est un dangereux défi à l'ordre et à l'ennui. Le vieux salopard entendait veiller sur son bifteck. Il avait blêmi lorsque son fils lui avait dit : « Si c'est comme ça, je laisse tout tomber. » Il avait pensé qu'elle le tenait par le sexe et en avait conçu pour eux un vague mépris – mais peut-être se mêlait-il à cela une certaine envie, le dernier miroitement de sa propre vie affective sacrifiée.

Contrairement à ces estimations, Simon était friand de se mettre en danger pour elle : passé une première limite d'inconfort et de frayeur, il savait qu'il ne risquait rien, autrement que rencontrer en une furtive étincelle le meilleur de lui-même.

Ce soir-là, il était rentré fatigué de l'hôpital. Suzanne était restée assise sur son lit, se balançant d'avant en arrière sans lui accorder un seul regard. Être privé d'elle lui semblait parfaitement comparable à perdre des calories par grand froid, sans possibilité d'avoir la moindre source de chaleur ni de boîte d'allumettes à portée. La vérité est qu'il avait le moral en berne, mais il était coutumier des crises de ce genre et attendait qu'elles passent, préférant cent fois cela, en fin de compte, au pathétique côtoiement mutuel des couples qu'il croisait, fondé sur la peur du vide et la lassitude, à moins que ce ne fût sur une vénération imbécile de la normalité. Il regardait leur vie comme on regarde celle des serins en cage, se demandant s'ils sont heureux et concluant que oui, en général.

Au retour, il ne manquait jamais d'être marqué par la décélération progressive du paysage, jusqu'au Médoc. Après la rocade et les quais, la route de Labarde, il traversait Macau en biais avant de prendre la « route des châteaux ». Laissant Margaux à quelques kilomètres derrière lui, il bifurquait sur la gauche au niveau d'Arcins, bien avant Pauillac, pour regagner Moulis. Peu après le pont d'Aquitaine, il avait aperçu des mouettes égarées, nymphéas de Monet, particulièrement mélancoliques et gracieuses, posées en grand nombre sur un champ noir, et s'était dit qu'il fallait sans doute être né là, en effet, pour apprécier la monotonie de ces terres ouvertes, peu vallonnées – maïs, blé, tournesols, quelques champs d'artichauts et puis vigne, vigne.

Il avait voyagé un peu partout dans le monde, y compris dans des lieux qui n'avaient pas exactement la réputation d'être inhospitaliers, comme la Toscane ou certains coins paumés d'Asie, luxuriants, offerts, aussi innocents qu'Adam et Ève avant d'être chassés du paradis, mais il n'aurait troqué cet endroit contre aucun autre... Pas même contre les vertes, épaisses et hiératiques forêts coupées de torrents des Rocheuses, ni l'une de ces splendides étendues vierges dont le Canada a le secret, poudrées de neige comme un beignet de sucre glace. (L'image d'un wapiti de toute beauté s'avançant à pas comptés, avec une dignité comique et empreinte de calcul, sur un lac gelé, dans la région de Winnipeg, traversa furtivement son esprit ; celle-ci, et l'aperçu qu'il avait eu de la baie, la première fois qu'il avait atterri à Vancouver... L'espèce de bouleversement mystique ressenti devant la flottille diaprée des jonques.) Néanmoins, en un très profond, atavique réflexe ayant survécu à la petite enfance, rien à faire, à lui, la rectitude des rangs donnait l'impression de respirer mieux, de discerner quelque chose discerné par lui seul, au-delà de l'horizon.

Tandis qu'il se dirigeait vers le garage pour ranger la voiture, il vit de la lumière dans le camping-car, sous le hangar ; il fut saisi par l'envie d'aller faire la connaissance du type embauché l'après-midi par Henri. Voir de quelle façon il l'avait installé, jeter un coup d'œil sur son intérieur et tout bonnement, peut-être, en profiter pour se faire une idée du bonhomme. Il était tard. Il frappa discrètement au carreau.

– Qu'est-ce que c'est ? interrogea Clavet, descendant aussitôt sur le marchepied. Ah, c'est vous, dit-il en découvrant Simon.

Simon ne l'avait jamais vu et se dit qu'il en était de même pour lui, à son égard ; tout aussi bien, il aurait pu être un rôdeur, un automobiliste perdu venant demander sa route – dans ce coin, les gens se perdaient facilement, dans le lacis des chemins communaux.

– J'vous ai vu arriver en voiture, dit Clavet, comme s'il lisait dans ses pensées.

Il alluma lentement une cigarette et souffla la fumée par le nez, par saccades, tel un cheval épuisé. Cheveux blonds, barbe idoine, une tête d'apôtre cachectique, le regard souffreteux, brillant comme si une syphilis le consumait.

Pauvre type, pensa Simon. Il a dû en subir.

– Vous fumez ? dit Clavet en lui tendant le paquet.

– Oui, dit Simon en se servant.

Il aspira quelques bouffées, heureux de retrouver le goût rocailleux des Lucky, « celui qui est chanceux ». Il se dit également qu'il était mal parti, s'il se mettait à prendre en considération et à verser sur le compte de l'encouragement ou du découragement ce style de signes.

– Est-ce que vous... commença-t-il. Puis il s'interrompit, gêné à l'idée que l'autre s'attendît peut-être à ce qu'il l'interrogeât, lui demandât des comptes sur ses années de prison.

– Ouaip ? fit Clavet. Qu'est-ce qu'vous voulez savoir ?

– Rien. Je ne veux rien savoir de spécial. Juste si vous étiez bien installé. Allez vous coucher. Bonne nuit.

Il fit mine de s'en aller.

– Ouaip, fit Clavet, le regardant de ses petits yeux rougis. J'finis juste c'te clope et j'y vais.

– Je dois me rendre au laboratoire, demain, dit Simon en se ravisant et en rebroussant chemin. Des dosages de sucre et d'acidité volatile à récupérer. Je vous emmènerai avec moi, si vous voulez ? Le temps de vous expliquer un peu comment ça marche, ici.

– Z'êtes le patron, dit Clavet. On fera comme vous dites.

– Bonne nuit, dit Simon, sans sourire.

Il sentait monter en lui une de ces migraines qui l'obligeaient à s'allonger sans bouger, sur le dos, dans le noir.

– Ouaip, fit Clavet. On fera ça.

Le lendemain, ils étaient ensemble dans la voiture, Clavet dans un bleu que lui avait passé Henri, avec par en dessous un polo rose vif qui rappelait à Simon les tenues de nuit des cow-boys. Son cou, aussi maigre et ridé que celui d'un poulet, émergeait du col un peu trop large.

Ils roulaient vers Bordeaux-Lac, entre le golf et un autre camp gitan que l'on s'apprêtait cette fois à fermer, le Village andalou. Simon considérait le golf bien entretenu (il y avait pris des cours, enfant, et maintes fois joué depuis, ici ou sur celui de Lacanau, il connaissait donc par cœur la chaleur des douches du Club-House, ainsi que tous les autres agréments fournis par ce genre de lieux) ; il ne tenait pas absolument au golf, là n'était pas le problème, mais peut-être avait-il laissé tomber ce sport en partie pour cela, parce que le spectacle des pelouses au cordeau, défendues par des barbelés, s'étalant en face des chemins défoncés, envahis de détritus, qui menaient au camp, lui donnait mal au ventre. Comme lui donnait mal au ventre le fait d'imaginer un tant soit peu précisément l'enfance et l'adolescence de Suzanne. Quand sa mère lui donnait le bain dans un baquet ; qu'à l'âge de quarante ans passés, cette mère se mettait à trembler et à pleurer de peur, au moment d'aller ramasser la lessive, dehors, sur la corde à linge ; une maison au sol en terre battue ; Papa Gomez, casquette éternellement à la main ; leur dénuement ; quand elle-même, Suzanne, à quinze ans, observait le monde en se demandant si quelque chose pourrait jamais lui être donné.

– Quelle misère ! dit Simon, reportant son regard sur le village poussiéreux. Pareille chose ne devrait pas être permise.

Il se sentait en quelque sorte furieux, pénétré par l'idée que le monde est une plaie d'amour vivante. Un cri silencieux et déchirant. Clavet à côté de lui refoulait du mieux possible sa colère, écœuré par ce qu'il avait pris pour un invraisemblable mépris, une pure négation de ses difficultés et de son propre univers – toutes ces années de promiscuité, de claustrophobie intense, de totale absence de perspectives entre quatre murs, à la maison d'arrêt de Gradignan. Il ne pouvait se remémorer la courte durée des promenades, leur pauvreté au sens de ce qu'elles ne le dégageaient en rien de son sentiment de délaissement extrême sans qu'une main incandescente lui écrasât la trachée, le laissant privé de souffle, sans capacité de déglutir.

– En effet, dit-il en englobant le golf d'un regard dégoûté, morne. Ouaip.

Il adressa à Simon un sourire obséquieux, rempli de haine.

Quinze jours plus tard, afin de ne pas être en reste, il en mettait un sacré coup au chai. Les fermentations alcooliques tiraient à leur fin. En deux semaines, nombre de remontages avaient été effectués ; les cuves étaient vidées dans un bac, provoquant une complète aération ; le jus était ensuite repassé par un tuyau sur le marc, dans le but d'homogénéiser l'ensemble.

Ils avaient eu un ennui avec l'un des tourniquets. Ce soir-là, Simon était rentré à la nuit. Il était monté sur une passerelle, en haut de la cuve qui posait problème. Les cuves étaient reliées entre elles par un réseau d'accès, échelles, poutrelles et escaliers, qu'il connaissait sur le bout des doigts pour en user depuis l'enfance. Clavet était monté avec lui en haut de la cuve et restait en arrière. Simon s'était appliqué avec succès à remettre le tourniquet en place. Ses doigts étaient un peu gourds d'avoir été crispés sur le volant une heure durant. Contrairement à beaucoup d'autres nuits où il était rentré tard, il se sentait baigné par un léger optimisme, une certaine langueur auxquels n'était vraisemblablement pas étranger le parfum des roses tardives, dans l'allée.

Ensuite il voulut aller contrôler une deuxième cuve, à côté. Il n'avait pas jugé bon d'allumer la lumière ; ils étaient sous la charpente, dans l'obscurité. Quelques heures auparavant, Clavet et un autre ouvrier avaient dû déplacer une échelle, précisément à cet endroit. Clavet n'ouvrit pas la bouche. Il entendit dans une sorte d'hébétude et de honte profondément refoulée le bruit de la colonne vertébrale de Simon se brisant en bas, sur le carrelage. La gêne le pétrifia – pas d'autre sentiment que celui-là. Il descendit maladroitement à son tour sur la terre ferme, effectuant quelques pas timides en direction de Simon, mais sans oser l'approcher trop. Il constata avec une terreur muette qu'il vivait encore : il ne bougeait pas, mais ouvrit très progressivement les yeux.

– Appelez une ambulance, fit Simon, les dents serrées.

Clavet commença de sortir du chai à pas lents.

– Ouaip, dit-il.

Puis, dehors, il s'adossa au mur et alluma une cigarette pour tenter de dénombrer les étoiles qui emplissaient le vaste ciel.

Annelise Roux

Née dans le Médoc, entre Pauillac et Bordeaux, diplômée de Sciences-Po, elle a étudié l'histoire de l'art avant de se consacrer à l'écriture. Elle a publié notamment le très remarqué Peccata mundi *dans la Série Noire (Gallimard) ainsi que* Solidao *en collaboration avec Thierry Lurton (Gallimard).*

La Victoire en chutant

Lionel Germain

À Réda, Amar, Djed
À Charles Faure
À Cathy

Il était dix-huit heures quarante-cinq.

Cassendi s'était greffé sur la cellule nº 2. C'était un vrai cauchemar. Il avait garé la Mégane n'importe où place de la Victoire et s'était précipité pour remplacer le jeune inconnu de la cellule nº 1 qui venait de tourner de l'œil. Le corps de la victime s'était écrasé sur une joyeuse tablée du bar au moment où le serveur portait les commandes. Un silence pesant régnait sur la scène du carnage. L'hystérie provoquée par le drame avait cédé la place à la stupeur. Les pompiers des deux ambulances s'affairaient autour des corps allongés sur le trottoir, le médecin du SAMU installait une perf à une jeune fille ensanglantée qui souriait et les badauds peu nombreux levaient le nez au ciel. Dans un geste de compassion très professionnel, Cassendi attrapa la main de l'étudiant groggy que venait d'abandonner le gars de la cellule nº 1 puis regarda à son tour ce qui se passait plus haut. Perchée au-dessus des deux étages de la pharmacie voisine du bar se dressait une curieuse petite maison que l'architecte avait sans doute destinée au personnel de l'immeuble particulier. La construction semblait avoir été rajoutée en catastrophe sans tenir compte de l'esthétique du projet initial mais avait l'avantage de dominer la place de la Victoire. Une porte-fenêtre s'ouvrait sur une terrasse impraticable rafistolée par un plombier zingueur en état d'ébriété. Un homme avait enjambé les protections de tôle et, figé dans une immobilité inquiétante, contemplait son hypothétique point de chute.

Cassendi tapota la main gauche de son client et adressa enfin un sourire à la femme crispée qui lui tapotait la main droite.

– On ferait peut-être bien de se décaler un peu de la zone d'atterrissage, non ?

Il désigna une aire de repli où se trouvait déjà la cellule n° 1, avec son membre défaillant qui entre-temps avait retrouvé du tonus et tapotait d'autres mains de spectateurs meurtris. La femme acquiesça et ils soutinrent le jeune homme pour l'entraîner plus loin. Deux Clio et une Laguna déboulèrent dans un crissement de pneus à cet instant précis tandis qu'un car de police secours barrait partiellement l'accès au cours Aristide-Briand.

Excepté peut-être cette place de la Victoire, il n'y avait pas foule dans les rues de Bordeaux. C'était un dimanche ensoleillé d'avril et Cassendi savait pourquoi la ville était déserte. Dès que le soleil pointe ses rayons, les Bordelais se font la malle. Les plus fortunés rejoignent leur villa de Cap-Ferret et les petits budgets préparent le pique-nique pour aller se dorer au bord du lac de Cazaux. C'est là que ses parents l'emmenaient respirer le bon air quand il était môme. Papa tartinait Maman avec la Nivea, et lui guettait les avions de chasse de la base aérienne dont le fracas intermittent n'étonnait plus personne. À cette époque-là, en contemplant les cabrioles de ces drôles d'oiseaux, il avait décidé de devenir pilote. Il aurait dû se douter à la façon qu'il avait de froncer les sourcils pour distinguer un canard d'un trimaran que le destin lui jouerait des tours. Avec de bonnes lunettes, on peut passer une licence de droit et tenter sa chance chez les flics, mais jouer les héros de la patrouille de France, il ne fallait pas y compter.

Aujourd'hui, il portait des lentilles, ne croyait plus au grand frisson et détestait les idées floues qui l'avaient conduit à partager la tension et les fréquentes montées d'adrénaline de ses collègues. Bordeaux était plus paisible que les villes de la région parisienne où il avait commencé sa carrière. Il n'appartenait pas à la tribu des caillassés qui se trimballent comme des cibles avec leurs costumes bleus, mais l'ambiance du commissariat était pourtant électrique depuis quelques mois.

Il observa le visage tendu des officiers qui analysaient les éléments de la scène et interrogeaient les premiers témoins valides. Il soupira d'aise en songeant qu'il avait réussi à vendre son idée au divisionnaire : un flic en première ligne, infiltré dans les unités de soutien psychologique pour soutirer les confidences les plus chaudes, qu'un interrogatoire traditionnel ne parvenait que rarement à enregistrer. Pour l'instant le bilan était nul et l'hostilité des vrais confesseurs était palpable, mais le divisionnaire était persuadé qu'un flic sans jus était plus utile à ne rien faire qu'à saboter le travail de ses équipes.

Il avait donc à son actif un certain nombre d'étreintes chaleureuses. La sœur d'un suicidé qui avait découvert le corps de son frère mais n'avait manifestement aucune vocation criminelle, les caissières d'un supermarché braqué par un commando de nains cagoulés démantelé le lendemain à la sortie de l'école, les pensionnaires d'une maison de retraite empoisonnés par la seule négligence du personnel de cuisine, des promeneurs d'une rue proche du parc bordelais victimes d'une fuite de gaz. Chaque fois, il avait ramolli des consciences pétrifiées, épongé le stress et la peur, enregistré les confessions délirantes de témoins qui n'avaient rien vu, rien entendu mais décrivaient avec précision les coupables possibles d'une terreur évidemment préméditée.

Cassendi était sans illusions sur son sacerdoce. Les bénévoles et les vrais psychologues avaient finalement accepté sa présence *au cas où elle empêcherait d'autres drames* parce que c'est dans ces termes qu'il avait vendu sa salade aux responsables de la préfecture. Jusqu'à présent, le flic aux premières loges n'avait jamais permis à une enquête de recueillir autre chose que de la sueur et des larmes.

Pendant que ses collègues se démontaient les vertèbres cervicales pour essayer de comprendre ce que fabriquait l'autre gus sur le toit, il câlinait un étudiant qui n'avait sans doute aucun lien avec la chute des corps. Il tenta pourtant sa chance d'une voix désabusée et malgré le regard de reproche que lui lança sa partenaire.

– Drôle de façon de s'inviter à table, hein ?

Le jeune homme hocha la tête et sembla brusquement découvrir les deux potiches qui lui malaxaient les paumes.

– Je suis marocain, murmura-t-il.

La femme redoubla nerveusement ses caresses. Cassendi hocha la tête à son tour. Ils avaient le cul dans la poussière, adossés à la pharmacie fermée. Un flic brandissait un porte-voix et tentait d'amorcer un dialogue avec la silhouette figée au-dessus du vide.

– Dans le temps, j'ai eu un paquet de potes marocains.

Cassendi lâcha la main du rescapé. Comme partout en ville, la place n'était plus qu'un immense chantier qui dressait ses palissades pour camoufler des trous béants. Bordeaux avait les tripes à l'air. La construction du tramway lui charcutait sa vieille peau assoupie entre la Garonne et les vignes et en même temps que le lifting annonçait un nouveau visage, il effaçait les derniers repères où la mémoire s'embusque, prête à ravitailler d'espoir les flâneurs nostalgiques. Cela faisait moins d'un an que Cassendi avait rompu avec le monde. Depuis la mort accidentelle de ses parents, sans doute. Il s'était rendu compte qu'il ne séduisait plus les femmes avec cette facilité déconcertante qu'on lui enviait. Les femmes s'étaient peu à peu absentées de sa vie. Il ne regardait pas la télé, n'écoutait pas la radio, pianotait Mozart, évitait les repas de collègues et marchait parfois longuement le soir dans des rues habitées de souvenirs, à la recherche de parfums évanouis.

– Une fille aussi. Elle s'appelait Souad. C'est magnifique, non ?

Le jeune homme sourit.

– Et vous deux, comment vous vous appelez ?

– Cassendi.

– Valérie.

– Moi, c'est Kamel.

Cassendi jeta un coup d'œil à la femme qui venait de se présenter. Les cheveux blonds et raides retenus en arrière avec un élastique, elle devait avoir une trentaine d'années. Elle n'avait pas un physique désagréable, mais il devina que c'était son baptême du feu et la tension des traits de son visage lui enlevait une partie de son charme.

D'autres ambulances rappliquèrent et les premiers véhicules d'urgence se dégagèrent pour emmener quelques blessés. Ce qui restait du corps de la victime gisait à présent sur une civière recouverte d'un drap. Le flic monologuait toujours d'une voix maintenant presque hypnotique pour tenter de convaincre le promeneur des gouttières d'abandonner la partie. Personne ne semblait encore savoir s'il était simplement candidat au suicide ou si c'était lui qui avait balancé la fille par-dessus bord. Jusqu'au moment où les pompiers rappliquèrent avec une grue équipée d'une cabine. Le gars se mit enfin à hurler :

– Foutez le camp, bande de salauds, sinon je plonge !

Valérie soupira. Cassendi se racla la gorge. L'étudiant marocain parla à voix tellement basse que ni l'une ni l'autre ne prêtèrent vraiment attention à ce qu'il venait de dire : « *Plonge, connard. Plonge, qu'on en finisse.* »

Il était dix-neuf heures quinze.

Cassendi se releva, fatigué. Le client n'en était pas un. Même s'il aimait la vanité de son job, il refusait l'idée d'une planque acquise par calcul. *Plonge, connard*. Il aurait pu dire la même chose. Peut-être que la moitié des gens qui s'agitaient sur cette putain de place pensaient qu'un beau plongeon mettrait un terme inespéré à ce spectacle.

Il se dirigea vers Faviot, le jeune rouquin de permanence à la brigade criminelle de Castéja. Il tentait de joindre le pharmacien par téléphone. D'avoir une clé de la porte de l'immeuble qui donnait sur le cours Aristide-Briand. Mais le pharmacien était quelque part entre Arcachon et Cap-Ferret. Il avait branché son répondeur et devait préparer la braise dans le barbecue.

– Merde ! C'est pas le jour, maugréa Faviot.

– Pourquoi ? demanda Cassendi.

Faviot haussa les épaules avec une telle dose de mépris dans le regard que Cassendi se demanda pendant une seconde s'il n'allait pas lui mettre son poing dans la gueule. *Plonge, connard !* Il avait passé l'âge.

À l'intérieur obscur du bar, il aperçut deux flics qui interrogeaient le patron et le serveur. Il n'entendait ni les questions ni les réponses, ne distinguait rien d'autre que des ombres, le comptoir, le percolateur, les chaises en plastique de mauvaise qualité, le scintillement étrange d'un flipper électronique. Et soudain une bouffée de jeunesse lui revint en plein cœur.

Il avait vingt ans. Il était assis sur une chaise en bois de bistrot face à une table ronde et lourde au piétement de fonte. Sur le plateau recouvert d'un Formica mité, le petit noir refroidissait dans sa tasse pendant qu'il engloutissait un hot dog. La Vieille, derrière le comptoir, lui souriait. Rachid glissait ses pièces de vingt centimes dans la fente du flipper inaccessible au tilt. C'était le bar des Marocains. La Vieille était la veuve d'un commissaire de police qui lui avait laissé un solide héritage. Elle louait à l'étage des chambres à de jolies étudiantes qui ne fréquentaient jamais son bar. Les Marocains et les Rochelais. Allez savoir pourquoi. Les Rochelais devenaient dentistes et les Marocains vieillissaient dans les amphithéâtres. Germaine, la serveuse aux jambes arquées et à l'état civil aussi chargé que celui de sa patronne, n'avait pas peur des Arabes. La Vieille partait en vacances à Casablanca chez un de ses anciens étudiants qui revenait à son tour à Bordeaux, une fois l'an, auréolé de prestige et de mystère. La Vieille l'appelait *mon chéri* et jamais personne n'était tenté de sourire.

Cassendi recula lentement comme s'il cherchait à éviter le trou noir qui l'attirait. Faviot gueulait dans son téléphone. Les pompiers poireautaient devant leur nacelle repliée. Deux équipes télé réduites ajustaient leurs caméras. Les ambulances stridulaient leur blues. Le mégaphone crachotait ses suppliques. Le plongeur s'était tu. *Plonge, connard !* Il vit Kamel qui contemplait la place sinistrée et croisa le regard réprobateur de Valérie. Dans quel monde vivait-il ? Les psys rafistolaient dans l'urgence les destins contrariés mais la ville entière avait le ventre ouvert et rien ne viendrait combler cette souffrance. Il se souvenait de la pelouse accueillante là où se dressaient les baraques de chantier. La place de la Victoire était une ronde où le temps se déclinait de bar en bar. Ses collègues de la fac de droit fréquentaient plus volontiers le Plana voisin de chez la Vieille. Ce n'était pas encore un « rock café » mais on y préférait déjà les guitares électriques aux saxos de chez Jimmy. Le vénérable Gaulois, aujourd'hui remplacé par une banque, était le fief des Libanais. L'Oriental avait les faveurs des joueurs de rugby. Le Las Vegas, tenu par un juif pied-noir ombrageux, manquait d'âme. Chez Pierre, juste à côté, devenait l'annexe de la Vieille, passé minuit. Et Chez Auguste restait le repaire des étudiants en médecine.

Il se revit avec Rachid, Souad et Karim, naviguant de l'un à l'autre. D'une bière à un steak-frites, d'un steak-frites à un scotch, jusqu'à la diagonale du fou qui vous perdait aux Capucins, avant de vous repousser jusqu'au Soleil Levant blafard de Saint-Jean. *Plonge, connard, plonge, qu'on en finisse.*

Pourquoi *qu'on en finisse* ? Cassendi percevait une petite musique au fond de son crâne. La petite musique du flic en maraude. Qui était ce *on* ? Le spectateur fatigué ? Kamel avait toujours les yeux dans le vague. Valérie l'observait sans rien dire. Il se rapprocha d'eux. Se rassit à côté de Kamel. L'atmosphère était lourde. Pas seulement à cause du type là-haut. Il avait l'impression d'oublier quelque chose qui planait sur la ville comme un mauvais pressentiment.

– Pourquoi a-t-elle plongé ?

– Elle n'a pas plongé.

Valérie et Cassendi tournèrent la tête vers Kamel. En surprenant la lueur qui s'alluma subitement dans le regard de la jeune femme, Cassendi soupçonna une embrouille.

– Qu'est-ce que vous voulez dire ? demanda-t-elle. Vous avez vu le gars qui la poussait ?

Kamel renifla. Ses yeux se gonflèrent de larmes.

– Pas la peine. C'est sans importance.

– Pas pour eux. Elle désignait les flics un peu plus loin. Kamel hocha la tête et s'adressa à Cassendi.

– Je vous ai vu causer avec eux, tout à l'heure. Vous êtes pas psy.

Cassendi soupira.

– Je ne suis pas psy, non. Mais j'appartiens à la cellule de soutien. Une roue de secours, si tu veux.

Valérie avait sorti de sa poche un petit carnet sur lequel elle griffonna nerveusement avant de le remballer.

– C'est lui qui l'a poussée, dit Kamel sans faire l'effort de préciser davantage.

– Tu connaissais la fille ? interrogea Cassendi avec la douloureuse impression de travailler un coupable. L'excitation dans les yeux de Valérie démentait le froncement de sourcils désapprobateur qu'elle fit mine d'adresser à Cassendi. Elle passa son bras autour des épaules du jeune homme au moment où celui-ci laissait jaillir un flot de larmes.

– Merde, c'est à cause de moi qu'elle est morte. Évidemment que je la connaissais.

Il était dix-neuf heures trente.

Un premier frisson de bonheur chatouilla la nuque de Cassendi. Il observa Faviot qui jetait rageusement son portable sur la banquette arrière de la Clio. Le flic flamboyant pataugeait avec ses coéquipiers tandis que les pompiers tentaient d'installer une espèce de toile élastique pour accueillir le forcené.

– Elle s'appelait comment ?

– Qu'est-ce que ça peut foutre, sanglota Kamel en cherchant vainement du réconfort sur l'épaule de Valérie.

Celle-ci braquait son crayon sur une page du carnet qui avait resurgi à la vitesse de l'éclair. Elle passa la langue sur ses lèvres sèches et fit semblant de sourire pour donner le change.

– Rien si ça se trouve. De toute façon, vous n'étiez pas là-haut, donc vous n'êtes pas responsable de ce qui est arrivé. Vous avez simplement besoin de parler.

– *Sud-Ouest ?*

Valérie essaya d'interpréter le rictus ironique de Cassendi.

– Pardon ?

– Vous êtes psy à *Sud-Ouest* ?

– Et vous à Castéja ?

– Je suis là pour aider. Par pour sucer la moelle des témoins.

Kamel se rebiffa.

– Je peux vous laisser seuls si je vous dérange.

– Pas question, bonhomme.

Cassendi avait posé sa main sur le poignet de l'étudiant, qui s'affaissa davantage contre le mur.

– Le comique attend son bon de sortie. Je pense pas que ta copine apprécierait qu'il s'en tire avec un saut de l'ange sur une toile à matelas. Regarde, Kamel, il y a la télé, les flics, les pompiers. Si ce type est dingue, c'est son jour de gloire. Alors fais pas chier, t'es pas en garde-à-vue, t'es qu'un témoin qui a des choses importantes à raconter. Vas-y, on t'écoute.

– Vous avez pas une lampe de poche à lui braquer sur les yeux pendant que vous y êtes ?

Cassendi soupira.

– Je pourrais vous faire virer. Il pointa l'index en direction de Faviot. Mais au moins bouclez-la, d'accord ?

La jeune femme lui lança un regard furibond avant de répliquer :

– Et on peut savoir pourquoi vous me faites pas virer ?

– Votre patron vous a pas à la bonne. Vous avez pas choisi de travailler les dimanches et les jours fériés. Si vous ramenez une belle histoire à la rédaction, ça vous soulagera. Ça m'intéresse pas de jouer au flic mais le type là-haut, je le veux, et on n'a pas beaucoup de temps. Bon alors, Kamel, tu te décides ?

– Merde, c'est pas vrai. Une journaliste et un flic !

– Oublie le flic. Y a vingt ans, je jouais peut-être aux cartes avec ton père dans ce bistrot.

– Mon père, il a pas fait ses études à Bordeaux.

– Alors, oublie ton père et parle-moi de la fille.

Kamel souffla comme si les mauvaises nouvelles s'accumulaient trop vite pour lui. Il chassa une mouche imaginaire devant ses yeux et s'adressa à Valérie.

– Elle s'appelait Camille. On sortait ensemble depuis six mois. J'avais gardé ma chambre sur le campus mais, la plupart du temps, on se retrouvait là-haut, chez elle.

Il se tut pendant quelques secondes, les larmes à nouveau coulant sur ses joues.

– Mais elle avait déjà un jules qui refusait d'abandonner la partie. C'est ça l'affaire, hein ? demanda Cassendi.

Kamel hocha la tête.

– C'est pas son jules. C'est son frère.

Il accepta le mouchoir que lui tendait Valérie et s'essuya rapidement.

– Un frangin complètement taré. La première fois qu'il m'a vu, il arrivait d'Angoulême. Il était tout excité parce que je sortais avec sa sœur et il voulait déjà me casser la gueule.

– C'était quand ?

– Je sais pas au juste, au tout début. J'ai rencontré Camille en novembre. Ça devait être un peu avant Noël. Un vrai fou furieux.

– Et pourquoi ?

– Devine.

Cassendi soupira.

– Il aime pas les odeurs de couscous et la musique berbère. Il doit être malheureux, c'est plutôt la mode en ce moment. Et aujourd'hui, qu'est-ce qui s'est passé ?

Kamel attrapa une cigarette dans un paquet chiffonné et l'alluma sans en proposer à ses voisins. Il aspira une longue bouffée qu'il exhala lentement, les yeux mi-clos.

– Aujourd'hui, c'est jour de cauchemar, murmura-t-il. Il fait son cirque mais je suis sûr qu'il va pas sauter.

– Mais qu'est-ce qui s'est passé, Kamel ? répéta Valérie.

Le jeune homme les regarda tour à tour avec dans les yeux un mélange de colère et de défi.

– Vous le savez bien. C'est pour ça qu'elle est allée chez elle à Angoulême. Ce qui était pas prévu, c'est que son frère la ramène. Elle m'a appelé vers six heures sur mon portable pour me dire de ne pas monter. Qu'elle me rejoindrait au bar dès qu'elle se serait expliquée avec lui. Paraît-il qu'il était très en rogne et qu'il ne voulait plus entendre parler de moi. Elle... elle aussi avait l'air en rogne. Mais je... je pensais pas que ça finirait comme ça.

Dans le silence qui suivit cette déclaration, Cassendi chercha à comprendre ce qui lui échappait. Il observa Valérie qui préparait sa prochaine question. L'évidence qui se refusait semblait inscrite dans la douceur de l'air et sur tous les visages inconnus qu'il voyait sur la place. Dans le mépris de Faviot. Dans l'étrange attitude du type au poing duquel une bouteille venait d'apparaître. Comme s'il voulait ponctuer le récit de Kamel qu'il ne pouvait pas voir, il cria deux ou trois injures racistes. Cassendi avait l'impression d'en savoir plus que tout le monde et de rater pourtant l'essentiel qui expliquait la tension des gens autour de lui. Même l'équipe du RAID à peine débarquée paraissait plus soucieuse de l'électricité qui coiffait la place que de l'énergumène arrimé à son toit.

– Quel est son nom ? interrogea Valérie.

– Marc. Le jeune homme se secoua. Je vais m'en aller. J'ai plus rien à faire ici. De toute façon, il sautera pas.

La jeune femme sembla tout à coup inquiète. Elle chercha vainement de l'aide auprès de Cassendi qui contemplait l'agitation mesurée des professionnels. Chacun marquait son territoire mais il ne se passait rien. Les flics de choc investissaient le Plana et le bar de la Victoire, sans doute pour tenter une approche par les toits. Les officiers en civil palabraient sur les portables. On avait rangé le mégaphone.

– Vous ne pouvez pas vous en aller sans leur dire ce que vous savez, suggéra doucement Valérie.

– C'est déjà fait, non ?

Cassendi sourit, conscient d'être le destinataire du message.

– C'est déjà fait, dit-il en tapotant le bras de Kamel. Qu'est-ce que vous voulez savoir de plus, mademoiselle ? Pour conclure votre papier, il ne vous reste qu'à attendre, comme les autres. Il aida l'étudiant à se relever.

– Vous déconnez, non ? Ce qu'on vient d'apprendre peut permettre à vos collègues de négocier différemment avec ce cinglé. D'un bond, elle se remit debout et attrapa l'étudiant par les épaules.

– Kamel, si vous racontez votre histoire aux inspecteurs, ils arriveront peut-être à empêcher un autre drame. Vous avez des raisons d'en vouloir à Marc mais vous ne pouvez pas...

– ... le laisser tomber ?

Cassendi se rapprocha d'elle. Tellement, qu'il sentit son parfum et découvrit qu'elle avait les yeux verts. Un court instant, il faillit oublier pourquoi ils se trouvaient là tous les deux.

– Foutez-lui la paix maintenant, d'accord ?

Il avait dit ça d'une voix douce, presque suppliante. La jeune femme le dévisagea pendant quelques secondes avec étonnement, puis elle haussa les épaules et détourna son regard.

– Vous êtes un foutu spécimen de flic.

Cassendi la vit s'éloigner sans un mot de plus. Sans un signe pour l'étudiant qui restait planté là comme s'il rechignait à abandonner la partie. Elle alla se perdre dans les petits groupes de spectateurs agglutinés autour du périmètre de sécurité mis en place par les agents en tenue.

– Qu'est-ce que t'attends pour prendre le large ?

Kamel renifla. Il laissa tomber la cigarette, qu'il écrasa de la pointe du pied.

– Vous... vous disiez tout à l'heure que le type là-haut vous intéressait.

– Je m'en souviens pas.

– C'est un mec dangereux. Je pense qu'il a picolé toute la journée. Il a quelques diplômes mais il vit chez ses parents à rien foutre à part fréquenter des salles de sport. Karaté, je crois. Camille avait peur de lui.

– Tu lui fourguais de l'herbe ?

– Pardon ?

– À Camille, tu lui fourguais de l'herbe ?

Kamel se raidit mais ses yeux s'agitèrent comme s'il cherchait une échappatoire.

– Te fatigue pas, poursuivit Cassendi, j'ai repéré ton paquet de clopes. Y a pas que du tabac à l'intérieur. Je pense qu'en ce moment mes collègues s'en foutraient royalement, mais je comprends que tu ne tiennes pas à fréquenter les uniformes.

– Je lui fourguais pas de l'herbe. On fumait ensemble de temps en temps, c'est tout. Je suis pas un dealer, si c'est ça que vous voulez savoir.

– Ça m'est égal. Ce que j'aimerais savoir, c'est pourquoi l'autre a pété les plombs. On n'est pas à Marseille. Des filles qui sortent avec des Arabes, on en trouve un paquet sur cette place.

– Des fêlés comme lui, il y en a plus que vous croyez. Et aujourd'hui, ça devait être spécial.

– Spécial, oui.

Cassendi huma l'air à la recherche d'une odeur de poudre ou d'orage. Il faisait grand jour encore même si le soleil avait déserté la place en basculant derrière les toits de la rue Sauteyron.

– Si vous venez avec moi, je veux bien aller voir le rouquin.

– Va voir qui tu veux, petit, mais compte plus sur moi pour te servir de nounou.

Même proférée à voix basse, la réponse vibrait d'une violence mal contenue. Kamel recula instinctivement et enfonça les mains au fond des poches de son jean.

– Bon, ben je me casse. Au revoir, monsieur.

Il sortit la main droite de sa poche et la tendit pour serrer celle de Cassendi. Celui-ci le regardait et ne semblait pas le voir. Comme si la mémoire fissurée dégurgitait quelque fantôme prêt à rejouer sa vie sur le tapis élimé du Gaulois.

– Tu joues au poker ?

Kamel récupéra sa main tendue, inutile.

– Un peu, ouais.

Cassendi hocha la tête. Un acquiescement à autre chose de très lointain.

– Méfie-toi du vautour.

Kamel aussi hocha la tête. Un peu par politesse, un peu parce que ce type appartenait à son chagrin. Qu'il était au-delà des suspicions dont l'étudiant se sentait victime trop souvent à son goût, malgré les dénégations de ceux qui n'avaient jamais éprouvé une certaine qualité de regard dans une salle d'attente, au guichet d'une administration ou dans le bureau d'un agent immobilier.

– C'est un Algérien, continua Cassendi. Un vieux qui vient plumer la volaille universitaire à la période des bourses.

Le nez busqué, un manteau noir en permanence jeté sur les épaules, il débarquait à la fin du premier trimestre comme venant de nulle part, inaugurant la saison froide, les yeux vifs à l'affût d'une bonne table protégée des indiscrétions extérieures. Il n'avait pas d'amis mais quelques complices qui lui rabattaient les amateurs sans défense. Était-il possible qu'il existât encore ?

Cassendi tendit enfin la main et chercha un sens au sourire de l'étudiant.

– J'essaierai de faire gaffe, monsieur.

– C'est ça. Essaie de faire gaffe.

Dans un réflexe, il replia les doigts pour conserver contre sa paume l'objet métallique et froid qu'on venait d'y déposer. L'étudiant avait déjà tourné les talons. Il s'éloignait sur le cours Aristide-Briand, brisant le flot des promeneurs attirés par l'odeur du sang.

Il était dix-neuf heures quarante-cinq.

Cassendi leva la tête. Sur sa terrasse improvisée, le frère de Camille assistait aux préparatifs du commando pour atteindre le toit limitrophe. L'opération s'avérait délicate parce que la petite maison était encore en surplomb et qu'on ne pouvait pas espérer un effet de surprise. La silhouette porta le goulot de la bouteille à ses lèvres avant d'adresser un geste de défi aux nombreux supporters qui attendaient le dénouement. Les pompiers avaient installé leur espèce de trampoline et maintenaient une ambulance sur place pour parer à toute éventualité.

À la façon attentive dont les brancardiers et les agents coincés dans leur estafette se penchaient sur les radios des véhicules, Cassendi se demanda quelle équipe affrontait les Girondins de Bordeaux au parc Lescure (davantage par paresse que par provocation, il ignorait le label « Chaban-Delmas » accolé au stade de la ville). Il rejoignit Faviot, qui s'était retranché à l'intérieur de sa voiture, et se laissa tomber sur le siège passager sans prendre la peine de refermer la portière.

– Donne l'ordre aux Rambos de se retirer. Je te ramène le type dans dix minutes.

– Mauvaise pioche.

Faviot regardait droit devant lui, apparemment indifférent à la présence de Cassendi à ses côtés.

– C'était sa sœur. Il l'a flanquée par-dessus bord parce qu'elle sortait avec un Arabe.

– Merci pour l'info. Lui arrête pas de brailler que c'est un bougnoule qui a balancé la fille.

Pendant une fraction de seconde, Cassendi imagina les trois en train de se bagarrer là-haut. La fille qui demande à Kamel de s'en aller. Puis Kamel qui la pousse près de la porte-fenêtre. La fille qui bascule. Kamel qui redescend en quatrième vitesse pour se retrouver parmi les premiers témoins... Et le flic le plus con de la terre qui cajole son coupable avant de le laisser filer.

– C'est l'autre là-haut. Il s'appelle Marc. C'est un cinglé.

Faviot pianotait sur le tableau de bord.

– Possible. Mais c'est un cinglé fatigué. Ça fait une heure qu'il fait le zouave. On va le cueillir maintenant. On a réquisitionné un serrurier et le pharmacien est en route. S'il abandonne pas, c'est de toute façon une question de minutes.

– Laisse-moi y aller.

– Tu m'emmerdes, Cass. C'est un truc de pros. Qu'est-ce que tu pourrais faire de plus ?

Je pourrais t'écraser le nez sur ton pare-brise.

Faviot ouvrit la boîte à gants et attrapa un paquet de chewing-gums. Il dépiauta une tablette qu'il enfila entre ses dents.

– Tu t'es jamais demandé pourquoi c'était moi qui donnais les ordres, Cass, alors que tu pourrais être mon père ?

Cassendi passa ses jambes à l'extérieur de la voiture. Il respira un grand coup à l'air libre et s'inclina pour faire face au rouquin.

– Tu devrais mettre la radio. Pour savoir qui va gagner le match.

Sans répondre, Faviot l'invita à déguerpir d'un geste de la main.

À cause du chantier, on ne pouvait pas voir la place de la Victoire dans son ensemble. Par une encoche entre les immeubles, un flot de lumière irisait encore la foule disparate des spectateurs qui se pressaient contre le cordon de flics autour de la scène du crime. Il en arrivait de partout, de la rue Sainte-Catherine, du cours de l'Argonne et du cours de la Somme. C'étaient des jeunes pour la plupart, regroupés comme pour une manif improvisée. Mais ils finissaient tous par venir buter sur les premiers rangs qui piétinaient entre le Plana et le cours Aristide-Briand. Cassendi ne s'étonna guère d'en entendre certains hurler des slogans hostiles. Le frère de Camille se chargeait de chauffer son public avec des cris de haine contre les Arabes.

Dans son poing fermé, il sentit la présence de la petite pièce de métal que lui avait glissée Kamel. Il avança lentement jusqu'à l'angle du cours Aristide-Briand. Deux agents en tenue poireautaient devant la porte massive de l'immeuble. Cassendi déplia ses doigts et regarda la clé.

Les deux flics le saluèrent quand il la glissa dans la serrure.

– Ça y est, dit-il, on a enfin pu l'avoir.

Il était hors de vue de Faviot et de son équipe. Il adressa un clin d'œil complice aux policiers et referma la porte derrière lui. Il avait repéré l'interrupteur en ouvrant mais négligea de faire de la lumière. Le dos contre le mur, plongé dans l'obscurité du couloir, il sentit les battements de son cœur qui accéléraient. Durant trente secondes, il laissa siffler l'air entre ses dents.

Qu'est-ce que je fous, bordel ?

Le silence et le calme tranchaient avec l'excitation qui régnait dehors. Une odeur de poussière un peu humide émanait du sol. Il distinguait vaguement la première volée de marches en pierre qui menaient aux étages. Une vieille bicyclette était appuyée contre la rampe, entre l'escalier et l'entrée de l'officine. L'escalier était large, en partie recouvert d'un tapis usé jusqu'à la trame. Il fit quelques pas en somnambule et posa une main sur la boule de cuivre astiquée qui chapeautait le départ de la rampe. La tentation de faire demi-tour le paralysa pendant qu'il imaginait le flot de commentaires désagréables et la sanction prévisible que lui vaudrait le rapport de Faviot. Ses paumes étaient moites. L'image du rouquin l'obsédait. Alors même que rien ne l'autorisait à rejoindre le cinglé, il n'avait de toute façon aucune idée de ce qu'il allait pouvoir faire là-haut. Seule certitude, tout ça se terminerait dans le bureau capitonné du divisionnaire. Il faillit presque chialer tellement il entendait de voix maintenant qui lui intimaient de revenir dans l'enclos. Des voix chargées d'importance qui vous dictaient un parcours balisé et vous énonçaient la règle du jeu. Aucune n'était très amicale. Elles avaient simplement la force de l'habitude. Les mots dessinaient comme une laisse invisible au bout de laquelle on lui traçait la route. Et voilà qu'il avait refermé la porte.

Il grimpa d'une traite jusqu'au premier palier. Pendant qu'il s'accordait une petite pause devant les appartements du pharmacien, il songea au sourire de Faviot. Le rouquin le fit penser au fils d'un contrôleur général de l'époque héroïque. Un môme alcoolique trop gâté qui se ruinait au poker dans l'arrière-salle du Montaigne et se finissait chez Jimmy, après la fermeture, quand le colosse noir propriétaire de la rhumerie vidait les pianistes cocaïnés et préparait la table de jeu près du comptoir. Le vautour toujours sobre y amenait parfois un étudiant libanais suicidaire. Cassendi donnait un coup de main derrière le bar et vérifiait que les cartes étaient bien neuves. Il avait déjà enterré ses rêves de gosse. Il apprenait. Un jour, plus tard, il serait flic. Il renverserait l'ordre des choses. Il briserait la tutelle mafieuse occultée par les façades vénérables de la ville. Des affiches proclamaient qu'un nouveau Bordeaux sortait de terre. On balayait Mériadeck et ses putes pour construire un quartier futuriste qui vingt ans après suintait la peur et l'ennui. Cassendi avait découvert le cloisonnement de la machine policière, les protections de luxe, les zones interdites, les enquêtes détournées et surtout les placards administratifs. Aujourd'hui, on rejouait la même comédie avec le chantier du tramway dans un semblant de transparence qui arrivait trop tard pour lui. Il n'inspirait plus la crainte. On lui faisait le coup du mépris et, jusqu'à la dernière sortie de Faviot, il croyait pouvoir s'en foutre.

Il reprit rapidement son ascension pour atteindre le deuxième étage. Le décor était le même qu'au premier mais la peinture était moins fraîche et la poussière s'accumulait sur les plinthes. Même s'il n'y voyait pas grand-chose, Cassendi devina que ce devait être l'appartement des enfants. Il n'y avait que deux sonnettes en bas de l'immeuble et donc pas davantage de locataires. À l'extrême droite du palier, loin de la porte d'entrée, il aperçut alors un escalier de bois encaissé dans le couloir. Une vingtaine de marches très raides menaient directement à une petite porte.

Il s'y engagea prudemment. Les marches grinçaient mais il ne craignait guère de se faire repérer. Une fois en haut, il repoussa le battant, qui n'était pas verrouillé, et se retrouva dans un hall faiblement éclairé par la lumière du jour. Sur sa gauche, dans une petite chambre envahie par le crépuscule, une radio bavardait sans relâche. La porte-fenêtre ouverte donnait sur la terrasse où paradait le frère de Camille. Celui-ci tournait le dos à Cassendi qui l'observa un court instant. La nuque épaisse et la carrure de rugbyman lui remirent en mémoire les propos de Kamel sur la dangerosité du client. Il poursuivit son inspection jusqu'à l'autre pièce, plus grande et plus sombre encore que la petite chambre. Près de l'unique fenêtre, un bureau constitué d'une planche posée sur des tréteaux était encombré de paperasses et de livres. À en juger par les documents sur lesquels il jeta un rapide coup d'œil, Camille étudiait l'œnologie. Il y avait un coin douche protégé par un rideau de plastique maculé de crasse et une kitchenette minuscule où s'empilaient les assiettes sales. Le lit défait nichait au fond d'une alcôve.

Cassendi repoussa discrètement le rebord du rideau de la fenêtre. Il ne découvrit pas grand-chose de la place. L'ouverture était trop haute et ne lui offrait qu'une perspective lointaine du cours de la Marne. Il revint sur ses pas et entra finalement dans la chambre. Il n'avait fait aucun bruit mais c'était comme si un signal mystérieux avait prévenu Marc de son intrusion. Il tourna brutalement la tête en direction de Cassendi. Son regard embrumé eut du mal à faire le point sur l'ombre qui se tenait immobile à quelques pas de lui. Un sourire d'ivrogne déforma son visage un court instant.

Cassendi se rapprocha tandis que Marc essayait de repasser du bon côté de la terrasse.

– C'est fini, mon vieux.

Marc testa son équilibre sur les plaques de tôle et fit mine de le rejoindre en brandissant sa bouteille.

– Restez où vous êtes ! cria-t-il à mi-chemin.

Sans rien voir de ce qui motivait plus bas ce changement d'humeur du public, Cassendi perçut un grondement de la foule.

– Revenez maintenant.

– Non. Marc secoua la tête avec rage. Je veux la peau du salaud qui a tué ma sœur.

– C'est vous seul, Marc, qui êtes responsable de ce qui est arrivé à Camille.

L'homme l'observa à travers le brouillard de l'alcool.

– Qui êtes-vous ? Vous êtes flic ?

– Pas en ce moment.

– Comment vous savez pour Camille ? Comment vous avez su mon nom ?

– Revenez lentement dans la chambre et je vous expliquerai.

Cassendi s'était encore rapproché. À présent, il était dans l'embrasure de la porte-fenêtre. Il voyait une partie de la place, avec les badauds qui circulaient d'un point à l'autre. Dans la contemplation de toutes ces figurines en pleine effervescence, il éprouvait un sentiment d'accomplissement que rien ne justifiait. Pour quelques minutes, il se savait hors d'atteinte lui aussi. Tellement loin des vociférations incompréhensibles de la foule ou de la suffisance de Faviot. Marc parut saisir le trouble qui le gagnait.

– On est peinard ici, hein ?

Il ponctua ses propos d'une rasade puis ses épaules s'affaissèrent brusquement.

– Peuvent toujours essayer de venir me chercher.

– Ils vont pas tarder pourtant. Tu devrais même les voir d'où tu es, non ? Sans compter le serrurier qui doit être en train de trafiquer la serrure de l'immeuble.

Marc regarda les toits autour de lui.

– Ouais, je les vois. Mais c'est de la frime. Même s'ils arrivent jusqu'ici, je réussirai bien à en foutre un par-dessus bord.

– Comme Camille ?

– C'est ce putain de bougnoule ! Il éructait, les yeux chargés de haine. Elle est venue là parce qu'elle voulait plus m'écouter. Quand je suis allé la chercher, elle a reculé en gueulant. Elle a glissé, bordel ! À cause de ce salopard.

– C'est un accident.

– Non ! Elle était envoûtée comme une fatma.

Cassendi avait fait un pas de plus. Il avait franchi la porte-fenêtre et se trouvait désormais sur la terrasse. Il savait que ses collègues l'avaient repéré. Que Faviot devait fulminer. Tout près de Marc, il respirait les vapeurs d'alcool et ce parfum acide exhalé par les types en cavale. C'était l'odeur qui hantait les cages du dépôt dans l'arrière-cour de Castéja. Fragrance du désespoir et de l'excitation que se coltinent gendarmes et voleurs. Son propre corps émettait des signaux identiques alors qu'il ignorait soudain à quelle tribu il pouvait bien appartenir. Il voyait le cordon de flics en bas, la gesticulation des spectateurs minuscules, l'ombre qui effaçait peu à peu les couleurs, le fronton de la porte d'Aquitaine au pied de laquelle les premiers dealers devaient maudire cette concentration policière. Il songea à la fille aux yeux verts qui grattait sur le vide avec son crayon, sans abîmer la peau des apparences. Il entendait la radio derrière lui. Les bruits qui lui parvenaient ne formaient plus qu'une rumeur indistincte. Il avait depuis longtemps fermé la porte aux grands récits qui organisent le monde mais il sentait que la rumeur de la ville était mauvaise.

Marc paraissait habitué à lui. Il cria deux ou trois insultes vers la foule invisible avant de se retourner vers Cassendi, qui semblait savourer la première brise du soir.

– Je les emmerde tous. Ils en ont rien à foutre de ma sœur. Ils peuvent rien me reprocher.

Cassendi ne répondit pas tout de suite. Il savait l'irruption des autres imminente. Un projecteur venait de s'allumer et il redoutait la rage victorieuse de Faviot quand les lumières s'éteindraient pour de bon.

– On te reproche de pas avoir sauté. Et moi, je pense que t'en as rien à foutre non plus de ta sœur. T'es qu'un grand connard, Marc. T'aurais dû plonger dans la foulée. Maintenant, si tu veux, on va aller boire un coup à l'intérieur.

Il avait dit ça très calmement et il tendit la main à l'ivrogne. Celui-ci le regarda avec étonnement mais sans colère.

– Ouais. Je suis qu'un connard. C'était ce que disait Camille. Mais attends...

Son visage se creusa comme s'il allait s'effondrer.

– ... attends un peu. Je crois qu'ils vont prendre une claque monumentale ce soir.

Il se figea comme s'il espérait un miracle. Cassendi, lui, guettait le fracas des godillots dans la chambre, le chahut de la curée et la joie malsaine de Faviot. La radio crépitait des fadaises qu'il n'écoutait pas. Il savait qu'il allait gagner, que ce serait une question de secondes. Qu'il aurait l'autre salopard dans ses bras avant l'arrivée des tuniques bleues. Il regarda le ciel, les forêts d'antennes sur les toits. Il était seul avec ce maudit client qui était prêt à rentrer au bercail. Il ne voulait rien oublier de cet instant.

Marc tendit la main et Cassendi la serra fort dans la sienne.

– Comment t'as fait pour monter ?

L'ivrogne n'avait pas fait un pas mais Cassendi le tenait fermement. Il ne pouvait plus tomber maintenant.

– J'avais la clé.

– Tu connaissais Camille ?

– Non, Kamel.

Marc enregistra la réponse en même temps que tout son être réagissait à un autre événement. Cassendi crut que les flics avaient envahi la chambre mais il se trompait. Avec une expression de rage triomphante, Marc le tira brutalement vers lui. Il tenta alors de se raccrocher au frère de Camille, qui le repoussa en hurlant. Tandis qu'il glissait à reculons sur les plaques de tôle, il récupéra quelques fragments du monde qu'il avait cru pouvoir oublier. La radio répétait en boucle ce qu'elle annonçait depuis plusieurs minutes :

Jean-Marie Le Pen au deuxième tour.

Rachid et Souad étaient à l'abri chez eux, au Maroc, mais Cassendi avait la fâcheuse impression que tout en bas sur la place la foule grondait contre lui. Il se demanda si les pompiers avaient plié leur toile. Sa tête heurta une barre de zinc et il bascula dans la nuit.

Villenave, mai 2002

Lionel Germain

Enseignant, il s'est installé à Bordeaux à la fin des années 1960. Il a animé une émission Jazz et littérature. Il écrit des chroniques sur la danse pour Gironde magazine *et d'autres sur le polar dans* Sud-Ouest dimanche *depuis les années 1980.*

Ad patrem

Hervé Le Corre

On vint le chercher un matin, pendant le cours de mécanique, alors qu'il avait le nez dans le moteur d'un fourgon, les mains pleines de gasoil parce que le filtre venait de céder d'un coup à ses efforts pour le dévisser. Il se redressa brusquement quand le prof lui tapa sur l'épaule et lui apprit qu'il était convoqué chez le proviseur. La vingtaine de garçons présents dans l'atelier avaient levé les yeux de leur travail et avaient échangé des regards étonnés, ou entendus, avec des petits sourires ou des rires silencieux. Victor va chez Perez. C'est chaud.

Victor chercha un chiffon, n'en trouva pas, et s'essuya les mains à son bleu.

– Pourquoi ?

Il ne reçut pas de réponse. L'enseignant s'était déjà éloigné et lui tournait le dos, occupé avec un autre.

– Pourquoi ?

Il avait parlé plus fort.

– Tu dois le savoir mieux que moi, non ?

Le prof ne s'était pas retourné pour lui répondre. Il était sous le pont levant, un marteau à la main, et s'apprêtait à débloquer la fixation d'un pot d'échappement. Victor resta derrière lui, indécis, bras ballants, ses mains sales éloignées du corps. Le coup que l'homme donna sur le métal fit sursauter tout le monde parce que le vacarme habituel de l'atelier était retombé, chacun en profitant pour souffler un peu, ou s'occupant à nettoyer une pièce, ou bien faisant mine de chercher dans une caisse un outil introuvable, comme chaque fois que l'un d'eux était convoqué au bureau, selon la formule consacrée, ou chez Perez, ce bâtard, comme ils disaient aussi.

Victor marcha vers la porte, entre les carcasses de voitures, les moteurs, les châssis, les caisses de pièces détachées. On le regardait passer avec inquiétude, ou compassion ; certains l'interrogeaient d'un mouvement de menton mais il haussait les épaules et tordait la bouche en signe d'ignorance. Un copain lui envoya un chiffon crasseux avec quoi il finit de s'essuyer les mains, mais l'odeur de carburant et d'huile de moteur ne le quitterait pas de la journée, imprégnant la peau, même en frottant, même s'il restait une heure à tremper dans l'eau savonneuse.

– Grouille, dit le pion, qui attendait à la porte.

Victor le précéda dans le couloir et se mit à marcher à grands pas.

– Qu'est-ce qu'il me veut ? demanda-t-il en se laissant rattraper par l'autre.

– J'en sais rien, moi. Tu verras.

Ils passèrent devant une salle à la porte ouverte, pleine de filles silencieuses installées devant des ordinateurs. On n'entendait que la voix haut perchée d'une femme qu'on ne voyait pas et qui parlait de tabulations et de marges, et comme ils s'éloignaient, d'autres voix, étouffées par les cloisons, résonnaient tour à tour dans le silence ou se noyaient dans un brouhaha de rires et de cris. Il faisait moins chaud dans les couloirs, et Victor sentit sur son front fraîchir la sueur. Il s'essuya du revers de la main et laissa au-dessus de son sourcil une traînée sombre.

– Tu te fous du cambouis partout, observa le pion.

Victor esquissa le geste de porter de nouveau sa main à son visage puis se ravisa et haussa les épaules, et frotta ses paumes humides à sa combinaison de travail.

Ils pénétrèrent dans ce que les élèves appelaient le « couloir de la mort ». Le pion frappa à une porte de bois verni ornée d'une plaque de PVC transparente marquée PROVISEUR en grosses lettres rouges. Quand on leur dit d'entrer, Victor ressentit dans tout son corps ce picotement familier courant sous sa peau, des milliers de minuscules aiguilles agaçant ses nerfs et ses muscles, et il souffla un bon coup, rentra la tête dans les épaules, et fonça en pensant à ces boxeurs qui enjambent les cordes et se mettent aussitôt à dansoter sur le ring.

Le bureau était inondé de lumière et il ne distingua rien d'abord, le temps que ses yeux s'habituent, puis il aperçut le feuillage éclatant d'un arbre palpiter dans l'encadrement d'une fenêtre.

– Entre, mon garçon, entre.

La douceur inaccoutumée du ton le surprit. Il tourna la tête et les vit, tous les trois, dans un coin d'ombre de la pièce, clair-obscur bleuté, qui le regardaient avec une bienveillance attristée. Le proviseur et deux flics. L'un était en uniforme et l'autre, une femme, était vêtu d'un pantalon noir, d'un tee-shirt fuchsia et d'une grande chemise jaune d'or. Le cœur de Victor s'arrêta pendant deux ou trois secondes, puis se remit à battre dans sa poitrine en roulements désordonnés.

– Assieds-toi, reprit le proviseur. Ces personnes ont à te parler.

Il obéit. Il ne comprenait pas. Il cherchait des mots, sans savoir s'il fallait parler le premier.

Les trois autres se concertèrent du regard, puis la femme s'approcha et vint s'appuyer contre le bureau :

– Je m'appelle Marion Ducasse. Je suis inspecteur de police. Il faut que je te pose quelques questions. Ça fait longtemps que tu n'as pas vu ta mère ?

Elle parlait doucement, lentement. Elle gardait ses mains sur ses cuisses, légèrement penchée vers lui. Victor pâlit. Un tressaillement brûlant monta le long de ses vertèbres. Il se mit à trembler.

– Depuis quinze jours.

– Tu lui as téléphoné, entre-temps ?

– Oui, mais ça répondait jamais.

– Elle avait un portable ?

– Elle a que ça comme téléphone. Je tombais tout le temps sur la messagerie.

– Tu t'es pas inquiété ?

Victor se laissa aller contre le dossier du fauteuil. Il se mit à respirer par la bouche.

– Qu'est-ce qui se passe ?

– Réponds à ma question, s'il te plaît, dit la femme avec douceur : tu ne t'es pas inquiété ?

– Non. Ça arrivait des fois que... Mais elle finissait toujours par répondre.

Le tapage que menaient les moineaux dehors s'invita entre eux. La flic observait Victor. Elle battait souvent des paupières, sa respiration était courte. Le garçon garda les yeux baissés un court instant, curant sous ses ongles la saleté incrustée, puis il redressa la tête :

– Qu'est-ce qui se passe ?

La femme soupira, jeta un coup d'œil au proviseur et vint s'accroupir près de Victor, une main sur le bras du fauteuil.

– Il lui est arrivé quelque chose de grave. On l'a retrouvée ce matin. Il faut que tu viennes avec nous. Il fallait que je te pose ces questions, c'est important pour l'enquête, tu comprends ? Quel âge tu as ?

– Bientôt dix-huit. Le mois prochain.

Sa voix s'était étranglée. Il toussota. Puis, les lèvres serrées, il scruta ce visage de femme comme pour y déceler la trace d'un mensonge, ou d'une erreur, mais le visage demeurait impénétrable, les yeux un peu plus brillants, et seules battaient les paupières aux longs cils qui jetaient de l'ombre chaque fois dans ce regard fixe.

– Va te changer, peut-être, dit le proviseur. On a fait prévenir tes... enfin, les personnes qui s'occupent de toi.

Victor secoua la tête et se leva.

– Tu ne veux pas te changer ?

Le garçon ne disait rien, gardait les yeux baissés.

– Alors on y va, fit l'inspectrice.

Une voiture barrée de tricolore, surmontée d'une rampe de gyrophares, les attendait dans la rue, garée à la diable sur le trottoir. Un autre flic était au volant, le bras à la fenêtre, en train de fumer. Il démarra aussitôt qu'ils furent tous installés, les deux uniformes devant, Victor et la femme à l'arrière. Toutes les vitres étaient baissées mais il faisait là-dedans une chaleur de four, et, comme ils roulaient, de l'air chaud entrait à grandes brassées et faisait sécher la sueur au fur et à mesure qu'elle perlait sur la peau. La voiture fut bloquée sur le boulevard, non loin du centre de tri postal, par un embouteillage : un camion essayait de faire un demi-tour et ne parvenait plus à se dégager.

– Regarde-moi ce con, fit le chauffeur.

– Mets le deux-tons, ou on va pas s'en sortir, dit son collègue en se retournant vers la femme, qui acquiesça d'un hochement de tête.

Le ululement de l'avertisseur les écrasa au fond de leurs sièges. La voiture monta sur un trottoir, obligea quelques automobilistes à libérer le passage, puis fut lancée vers le nord sur la voie rapide longeant la Garonne, puis sur les quais.

L'air semblait moins chaud avec la vitesse, s'engouffrant avec brutalité dans l'habitacle. Victor regardait le fleuve, ruban boueux, surface mate et ridée. De son côté il n'y avait rien d'autre à voir, et il tournait le dos aux façades de pierre, lumineuses, presque aveuglantes, qui défilaient trop vite. Comme ils approchaient de Bacalan, sa vue fut empêchée par une série de hangars sinistres, couverts de tags et de coulures de rouille, aux vitres brisées, aux rideaux de fer défoncés, vestiges sordides du port à une époque où cette partie de la ville, d'après ce qu'il savait, était peuplée de gros bras et de forts en gueule, de marins et de filles, hérissée de grues, parcourue de camions et de trains.

En franchissant le pont tournant, le chauffeur coupa l'avertisseur, et dans la voiture chacun bougea sur son siège, soupira, sortant un peu de l'engourdissement de ce vacarme. On roula moins vite dans la rue Achard, flanquée de murs d'anciennes usines ou d'entrepôts, aveugles, gris, qui la faisaient paraître plus étroite. Dans la rue Blanqui, quelques collégiens, leurs sacs sur le dos, s'en revenaient en chahutant, en poussant des cris. Victor les suivit des yeux puis les laissa quitter son champ de vision. La voiture avait ralenti, s'était arrêtée presque, pour frôler un autre véhicule de police qui barrait la rue Arago.

Quelque chose se noua dans la gorge de Victor. Une boule de coton sec, au goût amer. Il se dressa pour mieux voir, le buste penché en avant. À une trentaine de mètres devant, des voitures de police, un fourgon, une ambulance rouge étaient garés en désordre, avec des gens qui restaient immobiles, pour la plupart, sous le soleil vertical. Un ruban fluorescent avait été tendu en travers du trottoir, et sur la chaussée, autour d'une voiture blanche, une vieille R 25, dont le coffre était ouvert. Victor descendit de voiture et se précipita.

– C'est son fils, dit l'inspectrice dans son dos à un flic en uniforme qui voulait l'empêcher d'approcher.

Quand il fut auprès de la voiture ouverte, les hommes qui travaillaient là, équipés de gants en caoutchouc, des petits masques de plastique blanc pendus autour du cou, se redressèrent et l'observèrent en silence. Les bavardages avaient cessé. Il jeta un coup d'œil dans le coffre au fond duquel n'était visible qu'une large tâche brunâtre, huileuse, mais l'odeur aussitôt le frappa et ses yeux se brouillèrent de larmes, et il n'osa plus respirer.

– On l'a trouvée ici ce matin, expliqua la femme flic. Ce sont des voisins qui nous ont appelés... Il a fait chaud, ces jours-ci.

Victor la dévisagea ainsi qu'il l'avait fait un peu plus tôt, comme s'il ne comprenait pas, ou attendait la suite, sauf qu'à présent les larmes coulaient sur ses joues sans qu'il fît rien pour les arrêter ou les essuyer. Il paraissait stupide, bouche ouverte, les yeux inondés, ses mains sales impuissantes devant lui, paumes ouvertes vers le ciel, implorantes. Puis sa figure se tordit d'une grimace et les sanglots le secouèrent et il porta alors ses mains à ses yeux, à son front, à sa bouche qui bavait maintenant, et un râle continu, entrecoupé de hoquets aigus, grondait dans sa gorge. Brusquement il se retourna, fit deux pas pour tomber à genoux contre une roue de l'ambulance et fut secoué de deux ou trois spasmes qui lui firent cracher un peu de bile et tousser, et il resta là dans cette position de chien groggy, immobile, le dos soulevé par un souffle rauque, jusqu'à ce qu'un pompier vienne le prendre sous les bras pour le relever et lui demander à voix basse si ça allait.

Oui, signifiait-il de la tête, ou non, car il la secouait aussi, comme quand on cherche à s'ébrouer d'un K.-O. Le pompier le soutint pour qu'il monte dans l'ambulance et le fit s'asseoir. Il lui versa un peu d'eau dans un gobelet. Elle est fraîche, ça va te faire du bien. Victor but goulûment – vas-y doucement, disait le pompier, assis à côté de lui, une main sous le gobelet pour parer à toute défaillance – puis il se laissa aller contre le dossier de la banquette, les yeux clos, le visage noirci par ses mains qui étaient venues y courir comme des bêtes paniquées.

Dans la voiture qui les emmenait à l'institut médico-légal, pour l'identification du corps, l'inspectrice lui rappela comment elle s'appelait. « Tu peux m'appeler Marion, si tu veux. Ce sera peut-être plus facile. » Elle se mit alors à lui parler, tout en conduisant, se tournant parfois vers lui pour évaluer ses réactions parce qu'il ne disait rien, ne la regardait pas, les yeux fixés loin devant, ou observant de droite et de gauche, sans intention particulière, les mouvements des autos et des piétons dans la ville éclatante de soleil.

Elle était étendue dans le coffre, fermé de l'extérieur. Ni attachée ni bâillonnée. Les policiers avaient dû forcer la porte du coffre pour ouvrir, les clés n'ayant pas été retrouvées. Pas de sac à main, ni portefeuille, aucun papier. On l'avait identifiée grâce au service des cartes bleues et des permis de conduire. Ça avait pris un peu de temps, raison pour laquelle on n'était venu le chercher au lycée qu'un peu avant midi, alors que le corps avait été découvert vers huit heures et demie.

– Il faut que tu saches qu'elle a été étranglée. Elle avait des traces au cou, ça ne trompe pas.

Victor secoua la tête en silence.

– Qu'est-ce qu'il y a ? Ça va ?

Il marmonna quelque chose en agitant sa main droite devant lui pour dissiper la question comme on chasse un insecte insistant.

La femme ne dit plus rien jusqu'à ce qu'ils arrivent à la morgue. Elle tourna sur le parking sans trouver de place et décida de garer la voiture sur un emplacement réservé à un médecin quelconque. Elle demanda à Victor si ça allait, s'il tiendrait le coup. Il hocha la tête. Elle le précéda dans le bâtiment qui sentait l'hôpital, montra sa carte de police, expliqua les raisons de leur présence à un homme qui passa un coup de téléphone bref et les pria d'attendre deux minutes. Un employé en blouse blanche vint les chercher presque aussitôt. Des portes s'ouvrirent, se refermèrent en grinçant sur une note chaque fois différente, toujours sinistre. Victor marchait derrière, le regard vide. Au creux de son estomac s'était logée une bête visqueuse, somnolente, et parfois elle était agitée de soubresauts qui lui soulevaient le cœur, lui nouaient la gorge, et il tâchait d'expulser cet écœurement cotonneux en se forçant à avaler le peu de salive que produisait sa bouche sèche.

L'homme en blouse blanche les fit entrer dans une salle pleine de casiers fermés de lourdes portes métalliques. Il marcha sans hésiter vers un des frigos, saisit la poignée, puis se tourna vers eux. Son regard s'attarda une seconde sur Victor.

– On n'a pas eu le temps de la préparer, et... Les examens ne seront effectués que ce soir. J'ai ce qu'il faut, si vous voulez.

Marion consulta Victor, qui gardait les yeux rivés sur la porte du casier.

– Tu as entendu ? C'est à cause de l'odeur. On peut...

– Non, dit-il sourdement. Ça ira.

L'inspectrice fit un signe à l'employé, qui ouvrit la porte et tira un chariot roulant sur quoi on devinait la forme d'un corps sous un drap. Victor s'approcha, le drap fut soulevé. Marion eut une grimace de dégoût quand la puanteur monta du corps, elle se mit à respirer par la bouche et essuya du dos de sa main la sueur qui perlait soudain à son front. Victor ne broncha pas ; il serra les lèvres et contempla le visage à la peau marbrée qui émergeait du drap replié sous le menton, de sorte qu'on ne pouvait voir les hématomes du cou, et il avança sa main, promena deux doigts sur la joue, la bouche, repoussa doucement une mèche de petits cheveux derrière l'oreille.

Il trouva encore la force de sourire à sa mère puis s'effondra en silence comme un pantin qu'on lâche brusquement.

Quand il rentra chez lui, Louis et Lucette le prirent dans leurs bras et pleurèrent en le serrant contre eux, l'assurant qu'ils étaient avec lui, qu'il pouvait compter sur eux. Ils lui dirent aussi des choses telles qu'on en dit aux enfants quand ils ont un gros chagrin et qu'on ne sait que faire pour calmer leurs sanglots, le dépeignant, lui passant leurs mains affolées dans le cou, sur la figure. Mais Victor ne sanglotait pas, ses yeux demeuraient secs et fixes. Il se laissa étreindre, embrasser, sentit de nouveau les jambes lui manquer et dut s'asseoir sur le canapé, face à la baie vitrée donnant sur le jardin, et il resta là, immobile, accablé, un verre de jus de fruits à la main dont il ne but qu'une gorgée. Les deux vieux allaient et venaient dans son dos, passaient parfois devant lui, silencieux, n'osant rien dire, et il ne voyait plus d'eux que leurs ombres, car déjà pour lui plus personne n'existait, et il se demandait d'ailleurs si quiconque pouvait encore survivre dans le brouillard mental où il étouffait, la bouche pleine encore de l'odeur de cadavre à quoi se mêlaient des relents cuivrés du désinfectant qui saturait l'atmosphère de la morgue. Les voix de Louis et Lucette résonnaient comme des échos lointains, indistincts, étrangers. Il avait de la peine à reconnaître les inflexions familières qui l'avaient entouré pendant toutes ces années sans jamais réussir à vaincre le silence qu'il savait sous ses pieds, gouffre béant sous un pont de neige.

Elles l'avaient rassuré parfois, ces voix, lorsqu'au téléphone, les soirs de fugue, elles l'imploraient de rentrer, lui parlant de la nuit et du froid, de la solitude et du chagrin. Il était toujours revenu, épuisé et penaud, pour s'écrouler dans ce cocon en croyant avoir fui une toile d'araignée.

Il ne dormit pas. Ou peu. Sa mère vint le visiter dans le noir, comme savent faire les morts dans ces cas-là. Elle s'assit au bord du lit, elle prit sa main, elle n'était qu'une silhouette nimbée d'une lueur bleutée dispensée par les persiennes. Elle le regarda sans rien dire, le visage affligé de ce sourire impuissant qu'elle avait toujours eu pour lui. Elle ne parla pas. Elle n'avait jamais beaucoup parlé. Elle disait qu'elle n'avait pas les mots. Il essaya d'articuler quelque chose, mais tout resta noué dans sa gorge. Trop tard.

Il vit l'aube venir. Les objets et les meubles sortaient de l'ombre. Apparitions. Il observa cette irrésistible révélation du jour. Il prit son mobile et appela sa mère. Sonnerie. Il espéra follement. Une voix inconnue l'informa qu'il était en relation avec une messagerie. Il coupa et jeta au loin l'appareil. Le visage enfoncé dans l'oreiller, il pleura longtemps. Puis il se leva, titubant, s'abandonna sous l'eau froide de la douche, haletant, les muscles durcis.

Quand Louis lui demanda où il allait, il ne répondit pas et fit démarrer en trombe son scooter. Il avait en poche un peu d'argent, un téléphone nouveau qu'Alexandre, un copain, lui avait revendu pour vingt euros seulement, et son couteau. Il n'était pas dix heures et il faisait bon. Sur le pont Saint-Jean, à pleine vitesse, il ferma les yeux, grisé par l'air frais qui courait sur le fleuve. Il longea une voie ferrée, passa devant l'ancienne petite gare de la Bastide, rejoignit en se perdant un peu une cité du bas Cenon, logée au pied d'un coteau moutonnant d'arbres. C'était une demi-douzaine d'immeubles de six étages, dressés parmi des pelouses déjà pelées, longés de parkings à l'ombre d'acacias. Quand il coupa le moteur devant le bâtiment 4, il entendit, malgré son casque, le chahut des oiseaux. C'était le seul bruit qui lui parvenait. Il ne voyait personne, pas d'enfants, pas de femmes, même pas un lascar en sentinelle devant une entrée. Il gara son engin près d'une vieille Peugeot 205 et verrouilla le cadenas de l'antivol. En passant à côté de la voiture, il remarqua le barillet de serrure éclaté, et, en se penchant, il aperçut le faisceau de fils multicolores qui pendait sous le volant. Il leva les yeux vers la fenêtre, au troisième étage, dont les volets étaient à moitié tirés.

On ne vint pas lui ouvrir tout de suite et il resta un moment sur le palier, son casque à la main, et il regarda sans les lire les graffitis tracés au feutre qui souillaient la cage d'escalier. Il allait sonner à nouveau quand la porte s'entrouvrit et, comme il n'avait rien entendu venir, il sursauta légèrement en voyant apparaître dans l'entrebâillement le visage d'une jeune femme brune qui le dévisagea d'un air méfiant par-dessus la chaînette anti-intrusion.

– Je suis le fils de Pascal. Victor.

Elle haussa les sourcils, le toisa. Elle avait ramassé ses cheveux sur le sommet de son crâne en un chignon hâtif. Elle était jolie, et n'avait peut-être que trois ou quatre ans de plus que Victor. Ses yeux étaient noirs, farouches. Elle ramena plusieurs fois son regard sur son casque, comme s'il se fût agi d'un outil menaçant.

– Il est pas là. Qu'est-ce que tu lui veux ?

– Lui parler.

– Lui parler ? Pourquoi t'as pas téléphoné, si tu voulais lui parler ?

– J'avais pas le numéro. Que l'ancien.

Dans l'appartement, un bébé se mit à pleurer. La jeune femme soupira et se retourna à demi vers les pleurs :

– Je viens, mon cœur ! Maman arrive !

Elle revint à Victor, jeta un coup d'œil derrière lui.

– J'ai pas le temps, là. Reviens une autre fois. Je sais pas quand il rentre.

Victor ne bougea pas. Il mit seulement une main dans sa poche et haussa les épaules.

– Je vais l'attendre là, ça fait rien.

Le bébé poussait à présent des hurlements coléreux, entrecoupés de hoquets, et sa mère se tourna vers l'intérieur du logement, fut sur le point de refermer la porte, puis tira violemment le battant vers elle en faisant cliqueter la chaînette.

– Quoi, tu vas l'attendre là, sur les marches ?

Victor hocha la tête.

– Putain, c'est pas vrai, murmura-t-elle.

Sa bouche se tordait d'une moue contrariée. Elle le regarda encore, par en dessous, sans ciller, comme pour vérifier qu'il disait vrai, ou pour l'intimider. Victor soutenait son regard, ne bougeait pas. Mais comme le bébé eut à ce moment-là un accès de toux se mêlant à ses cris stridents, la femme repoussa la porte, dégagea la targette de sûreté, puis rouvrit en grand.

– Entre. Il faut que je m'occupe de la petite.

Elle disparut au fond du couloir dans ce qui devait être une chambre, et aussitôt les pleurs cessèrent. Victor referma la porte derrière lui et attendit près d'un meuble à chaussures sur quoi était posée une boîte en carton pleine de canettes de bière et de bouteilles d'eau minérale vides. On entendait la voix cajoleuse de la jeune mère, le babil du gosse. Victor eut le geste de poser son casque sur le meuble, mais se ravisa, et fit deux pas en avant pour s'adosser à la cloison, face à l'entrée de la cuisine. Il apercevait l'évier débordant de vaisselle, la gazinière encombrée de casseroles, une table où traînaient deux bols, un bout de pain, un pot de confiture ouvert, une cafetière vide. Il repensa au soin maniaque avec lequel Lucette rangeait tout, débarrassait la table dès que la dernière bouchée avait été avalée, exigeant de chacun qu'il mette assiette et couverts dans le lave-vaisselle, et il se surprit à mépriser le désordre crasseux dans lequel vivait son père, et il aima l'avantage que ça lui donnait sur lui.

La jeune femme revint au bout de quelques minutes, le bébé dans les bras. En apercevant Victor dans le couloir, elle sembla se rappeler sa présence et s'approcha de lui, embarrassée de cette petite qui gigotait contre elle et essayait de lui toucher le menton de ses mains minuscules.

– Tiens, puisque t'es là. Tiens-la-moi un peu, le temps que je lui prépare un biberon. Elle arrête pas de boire et de pisser.

Elle laissa à peine à Victor le temps de poser son casque et se débarrassa de son fardeau en soupirant.

– Va t'asseoir, si tu veux. Par là, à droite, précisa-t-elle en montrant une porte vitrée.

Victor appuya comme il put sur le loquet pour ouvrir, et le bébé, qui se trouva un moment tête en bas, recommença de pleurer. Le garçon rectifia un peu la position. C'était un petit être à la peau mate, aux grands yeux noirs, comme sa mère, un duvet brun frisottant déjà sur le crâne, vêtu d'un tee-shirt blanc à rayures rouges et d'une espèce de bermuda bouffant. Elle pleurait continûment et Victor ne savait que faire pour la calmer. Il lui posa un baiser sur le front qui parut lui déplaire, car elle battit l'air devant elle de ses petits poings que le garçon évita de justesse. Il s'assit sur un canapé en face d'un énorme poste de télévision allumé débitant les habituelles bêtises, et tâcha d'installer la gamine sur ses genoux du mieux qu'il put, sans parvenir à la calmer.

– Comment tu t'appelles ? lui demanda-t-il doucement.

La petite se tut soudain, ouvrit en grand ses yeux immenses pour mieux dévisager cet inconnu, resta quelques secondes dans une stupeur écarquillée, puis, avec une grimace d'abord muette qui la défigura, se remit à bramer de plus belle.

– Moi, c'est Victor. Ton frère.

– Ton demi-frère, rectifia la mère en entrant dans la pièce, un biberon à la main. Donne.

Victor lui tendit la petite qui commençait à se débattre et à se tordre en tous sens entre ses bras. Contre sa mère elle ne bougea plus mais continua de crier.

– T'arrêtes de gueuler comme ça ? fit la jeune femme. Allez, bois, ça t'en bouchera un coin.

Le silence revint aussitôt, seulement meublé par le bavardage commercial de la télévision. La jeune mère berçait machinalement sa fille, qui tétait les yeux mi-clos, et regardait par la fenêtre la cime des arbres et le ciel sans nuages.

Victor n'osait pas bouger sur son canapé. Il essayait de réfléchir à cette situation banale et incongrue en se demandant ce qu'il était au juste venu faire là. Au-dessus de la télé était accroché au mur un poster de Britney Spears en pleine action, le nombril à l'air, et il s'aperçut alors que la jeune femme en face de lui, la compagne de son père, était habillée de la même façon : jean moulant taille basse, ceinture à paillettes, débardeur ultra-court dénudant le ventre. Il s'étonna de n'avoir pas remarqué plus tôt sa tenue, lui qui n'avait pas les yeux dans sa poche d'habitude, puis il ne put s'empêcher de reluquer ses seins, qui s'arrondissaient sans complexe dans l'échancrure du décolleté, et il distingua sous le coton blanc la pointe d'un mamelon dont il eut du mal à détacher ses yeux.

– Comment elle s'appelle la petite ?

– Cindy. Elle a dix mois.

Elle lui avait répondu sans le regarder, sans la moindre douceur dans la voix.

– Elle a soif, on dirait.

La jeune femme jeta un regard courroucé à sa petite.

– À cet âge-là, c'est juste un ventre. Ça rentre d'un côté et ça ressort par l'autre. Faut tout le temps s'en occuper.

– Elle est mignonne. Elle vous ressemble.

Elle le regarda en coin et il eut peur d'en avoir trop dit, de s'être laissé aller. Mais elle sourit d'un air flatté et remonta la bretelle de son débardeur qui avait glissé de son épaule.

– Pourquoi t'es venu ? Qu'est-ce que tu lui veux à ton père ?

Victor se concentra sur le visage paisible du bébé, qui ne quittait pas sa mère des yeux, sur la main tenue en l'air dont les doigts bougeaient lentement, et qui parfois se tendait vers le visage indifférent, trop loin, trop haut.

– Ma mère est morte. Je voulais juste lui dire. Il fallait que je le voie, vous comprenez ?

Il n'eut plus dans la gorge ni mots ni salive, et se tut, le souffle court. La jeune femme se mordait les lèvres, son regard fixe posé sur lui.

– C'est arrivé comment ?

Victor secoua la tête, se leva, resta planté devant elle, bras ballants. La petite dormait, la tétine à la bouche, le biberon vide.

– Il faut que je le voie. Il rentre quand ?

– Des fois il rentre pas. Ou tellement tard que c'est pareil. Il a ses affaires. Tu le connais...

– Pas trop, justement. Mais j'ai plus que lui. Et puis, ses affaires, je m'en fous.

Elle s'aperçut que le bébé dormait, alors elle se leva lentement et marcha vers un couffin posé à même le sol, à côté de la télé, et y déposa la petite avec précaution.

– Allez, fit-elle. Deux heures de tranquillité.

Elle se redressa et fit face à Victor. Ses seins se soulevaient, leurs pointes bien visibles sous le tissu, à chaque inspiration. Les yeux du garçon s'arrêtèrent sur son ventre plat et bronzé, largement dénudé sous le nombril.

– Je sais pas où il est, ton père. Ça fait deux jours qu'il n'est pas rentré, il m'a juste téléphoné qu'il avait des trucs à régler. Avec lui, faut pas chercher à comprendre.

Victor hocha la tête.

– Tant pis. Vous pourrez lui dire que je suis venu et que j'aimerais bien lui parler ? Peut-être qu'il voudra venir à l'enterrement.

– C'est quand ?

– Je le saurai ce soir.

– Ça m'étonnerait qu'il vienne. Tu sais, il parle jamais de tout ça. Je veux dire d'elle, ou même de toi. Il dit toujours « dans mon ancienne vie » pour parler du passé. C'est quelqu'un de bizarre, ton père. En fait, il parle pas trop. Mais bon...

Elle avait un sourire attendri en évoquant cet homme-là. Victor se demanda comment c'était possible après tout ce que sa mère lui en avait dit pendant toutes ces années, presque chaque fois qu'ils se voyaient. Cette fille dans les bras de son père. En train de baiser avec lui. Il essaya d'imaginer ça. Il eut envie d'elle. Ça vint se planter au bas de son ventre. Il détourna les yeux de ce corps à portée de ses mains et observa la petite allongée sur le dos dans son couffin.

– Il faut que j'y aille. Je téléphonerai.

Il revint dans le couloir, récupéra son casque. La fille le suivit jusqu'à la porte sans un mot et comme il se retournait brusquement elle faillit le heurter. Ils restèrent quelques secondes ainsi, pratiquement l'un contre l'autre. Ils respiraient vite, leurs regards accrochés l'un à l'autre.

– Comment vous vous appelez ? On a parlé, et je sais même pas votre nom.

– Paola. On peut se dire tu.

Elle ne bougeait pas. Il pouvait sentir son haleine mentholée. Il leva sa main libre, l'approcha du visage de la fille. Elle cligna des yeux, demeura immobile. Il retira sa main au moment de toucher sa joue.

– Je m'en vais, dit-il dans un souffle, et il ouvrit la porte.

– Attends...

Déjà parvenu au pied de l'escalier, il se retourna, le souffle coupé.

– Essaie au Hendaye... Il y va souvent avec ses copains. C'est près de la gare, au bout du cours de la Marne. Mais débrouille-toi pour que ce soit un hasard. Il va me tuer, s'il sait que je te l'ai dit.

Il hocha la tête et lui sourit, puis il fit un pas vers elle, lui colla un baiser sur la joue.

– D'accord. Merci.

Elle posa une main sur son épaule, légère, furtive, qu'il ne sentit peut-être pas. Alors qu'il était déjà en haut des marches, qu'il avait enjambées comme un fuyard, la main de Paola était encore en l'air, inutile, comme celle de sa fille tendue vers elle un peu plus tôt.

Il arriva au Hendaye un peu avant midi et déjà s'accoudaient au comptoir une demi-douzaine de clients qui sirotaient leur apéritif en s'interpellant bruyamment, ou discutaient avec le serveur pendant qu'il leur remettait ça. Victor commanda un demi, et attendit pour être servi que le barman eût conclu les commentaires qu'il échangeait à mi-voix avec un type en polo Lacoste et chaîne en or, bronzé comme un présentateur de télé, à propos d'une jolie femme qui venait de réclamer une carafe d'eau. Il but une gorgée, aspira un peu de mousse et marcha vers le fond de la salle où étaient installés quelques jeux électroniques émettant des stridulations, des borborygmes ou des détonations assourdies.

Il posa son verre sur une table, s'assit et prit son téléphone. La même voix répondit au bout de trois impulsions : « Vous êtes en communication avec le... » Il attendit le bip sonore, écouta le bruit de fond, finit par dire : « C'est moi. Je suis là. » Il coupa la communication et se mit à boire sa bière à longs traits, sans reprendre son souffle, et vida presque la chope.

Il se leva et glissa une pièce de cinquante centimes dans la fente d'un stand qui engageait à combattre des créatures hideuses. Il saisit un fusil, une copie légèrement réduite de M 16, relié à la machine par un câble, et attendit, l'œil sur le cran de mire, que les monstres fassent leur apparition dans les rues désertes d'une mégalopole. Il essayait de convoquer l'image de sa mère mais ne parvenait à former dans son esprit qu'un visage flou, une silhouette, sur quoi venait immanquablement se superposer l'image de Paola. Tout à ses efforts mentaux, il se laissa surprendre par l'irruption des premières créatures qui venaient de surgir de la chaussée en projetant en l'air une plaque d'égout qui retomba avec fracas sur une voiture en stationnement. Il en tua ensuite quelques-unes, qui explosaient dans des gerbes de sang, ou se métamorphosaient en énormes chiens noirs s'il n'avait fait que les blesser.

Il franchit la première épreuve et se retrouva dans un vaste couloir flanqué de portes dont certaines, entrouvertes, laissaient apercevoir des formes gigantesques qui semblaient fuir à son approche. Il tira quelques coups pour rien et vit s'allumer sur l'écran les cinq dernières cartouches de son chargeur. Soudain, une trappe s'ouvrit dans le plafond et la tête d'un serpent, gueule béante, bondit sur lui crochets en avant. Il pressa sur la détente, mais rien ne se produisit : un message lui apprit qu'il était mort, mais qu'il pouvait rejouer. Il reposa le fusil sur son support et revint s'asseoir devant son reste de bière.

Le restaurant s'était peuplé pendant qu'il jouait. Un garçon en veston blanc et nœud papillon ne cessait d'aller et venir entre la cuisine et la salle pleine qui retentissait du brouhaha des conversations et du cliquetis des couverts. Victor trouva son accoutrement de pingouin presque saugrenu, vu le lieu, et la clientèle. Sa mère l'avait emmené un jour, quand il avait huit ou neuf ans, dans un endroit où les serveurs étaient habillés de la sorte, et il avait le souvenir d'une ambiance feutrée, de clients chuchotant entre eux, et d'une multitude de verres et de fourchettes, de cuillères et de couteaux en argent, disposés devant lui sur une nappe de coton épais, dont il n'avait trop su que faire pendant tout le repas. Il se rappelait aussi que l'addition avait été payée sans sourciller par ce grand type à la BMW qui les avait conduits là, un certain Daniel, qu'il n'avait jamais plus revu. Victor tâcha de se souvenir de ce qu'il avait mangé ce jour-là, mais ne lui revinrent que la décoration multicolore des assiettes et le tintement fin des verres quand on les heurtait. Et il revit le bonheur de sa mère qui riait, qui lui faisait des clins d'œil par-dessus la table. Il se rappela sa beauté, ce jour-là.

Son père entra, l'air joyeux, dans le bar. Il poussait devant lui, en souriant, un homme élégant vêtu d'un costume gris perle, d'une chemise jaune d'or au col ouvert sur une cravate noire desserrée. Le cœur de Victor se serra, mais pas autant qu'il l'aurait cru : le voir là, sans avoir éprouvé la tension de l'attente, sans impatience ni inquiétude, c'était presque banal, facile.

Il termina son fond de bière parce qu'il avait la gorge sèche mais ça lui fit autant d'effet qu'un crachat sur une dune de sable. Il alla jusqu'au comptoir commander un autre demi et un sandwich pour combler le trou qu'il ressentait depuis un moment au creux de l'estomac. Il passa à quelques mètres de son père, attablé avec son copain, qui consultait un menu en fumant une cigarette. Il attendit un moment qu'on lui apporte ce qu'il avait demandé, tournant le dos à la salle, qu'il apercevait, derrière des alignements de bouteilles, dans un grand miroir. À un moment, il vit son père lever les yeux vers lui et le regarder une seconde ou deux, et revenir à la conversation qu'il avait avec le type élégant. Quand il fut servi, Victor hésita à se retourner tout de suite. Il redoutait soudain que son père l'eût reconnu, après deux ans ou plus sans se voir, sans donner signe de vie. Il décida que ce serait lui qui choisirait son moment pour l'aborder, rien que pour voir la tête qu'il ferait, bien embêté devant son copain de reconnaître à peine son propre fils. Rien que pour voir quelle contenance il saurait prendre quand il lui dirait : « Maman est morte, au cas où ça t'intéresserait. Je voulais juste te le dire, salut. »

Le serveur vint prendre la commande à la table des deux hommes et Victor en profita pour rejoindre sa place au fond de la salle. Il s'installa de telle sorte que des clients le dissimulaient en partie à la vue de son père, dont il pouvait voir les épaules, les gestes qu'il faisait en parlant.

Il s'aperçut qu'il avait faim, il trouva le sandwich jambon et crudités plutôt bon, se régala de la mayonnaise, mangea plus lentement les derniers morceaux pour mieux savourer. Il sirota ensuite sa bière, l'esprit vide, à l'affût du moindre mouvement, là-bas, qui pût annoncer le départ de son père.

Un garçon et une fille de son âge vinrent s'installer non loin de lui, sur une banquette en coin, et commencèrent à s'embrasser à pleine bouche et à se peloter. Victor les regarda un peu, vaguement excité, imaginant ce que leurs mains, sous la table, pouvaient bien faire. Comme son regard croisa plusieurs fois celui de la fille, qui semblait moins concentrée que son petit ami, il détourna les yeux, fouilla dans sa poche et en sortit son téléphone, avec lequel il joua un moment.

Puis le couple cessa de s'échauffer, la fille remit un peu d'ordre dans ses cheveux, tira sur ses cuisses sa jupe courte, pendant que le garçon se levait pour aller jouer sur la machine qu'avait utilisée Victor. Comme il apercevait une partie de l'écran, Victor s'occupa à étudier la technique de l'autre, qui, maniant le faux fusil d'assaut avec des poses et des tics empruntés à des films qu'il avait vus, dépensait sans compter les munitions en longues rafales et finissait toujours par laisser la ville entre les griffes des monstres. Il croisa de nouveau le regard de la fille, qui lui sourit, et il la trouva quelconque. On devinait aisément ses seins, assez gros, sous son tee-shirt moulant, et Victor, comme avec Paola, eut du mal à en détacher ses yeux.

C'est quand son père et son ami se levèrent qu'il s'arracha à sa contemplation. Il faillit renverser derrière lui sa chaise en se levant, et la fille leva vers lui des grands yeux pâles d'un air étonné.

Les deux hommes étaient déjà sur le trottoir et s'éloignaient vers le parking de la résidence Saint-Jean, qui dressait ses blocs hideux de l'autre côté de la rue. Victor hésita sur ce qu'il devait faire. Il avisa son scooter, balança d'une jambe sur l'autre, puis monta sur l'engin. Une Mercedes noire sortit du parking et fila sur le cours de la Marne, et louvoya sur la chaussée défoncée par des travaux entre les barrières qui délimitaient les chantiers. Victor avait rabattu la visière de son casque et suivait la voiture à distance, laissant s'intercaler d'autres véhicules, comme il l'avait vu faire dans des films policiers. Avec sa machine, il pouvait de toute façon se faufiler facilement dans les encombrements au cas où la Mercedes aurait accéléré.

Les deux hommes passèrent place de la Victoire, livrée au chaos des pelleteuses, dans un labyrinthe de chaussées provisoires creusées d'ornières, tracées par de grosses balises de plastique blanc et rouge, comme du reste l'ensemble du centre-ville, où le trafic prenait des airs de gymkhana géant longeant de gigantesques tranchées au fond desquelles s'affairaient hommes et engins. Victor pensait, tout en cahotant sur des bourrelets de goudron, ou en évitant des trous pleins d'eau, qu'il aurait préféré une petite moto trial à son scooter. Devant, il apercevait la carrosserie massive de la voiture rebondir sur ses amortisseurs. Elle tourna sur le cours d'Alsace-et-Lorraine, puis pénétra dans le quartier Saint-Pierre par une rue étroite, rafistolée ici aussi de plaques de bitume et de terre battue. Quand la voiture pénétra dans le parking souterrain, face au cinéma Utopia, Victor eut un moment de panique et s'arrêta net au milieu de la chaussée pour tâcher de réfléchir. Un fourgon klaxonna derrière lui et il dut monter sur le trottoir. Le chauffeur en passant l'insulta et il lui répondit d'un doigt dressé et l'injuria lui aussi à voix basse. Il connaissait mal le quartier. Il y était passé quelquefois le soir, sans s'attarder, le plus souvent pour aller rejoindre depuis son arrêt de bus la Foire aux plaisirs sur la place des Quinconces.

La place était couverte de terrasses de café pleines d'étudiants qui prenaient la pose, de gens plus vieux qui lisaient des journaux que lui ne lisait jamais, de jolies femmes à l'accent distingué qui parlaient à leur téléphone portable. Il gara son scooter et se trouva au milieu de cette foule d'oisifs comme un étranger. Leur désinvolture apparente, leur façon de regarder les gens passer, leurs rires ou les bribes de conversations qu'il accrochait en marchant parmi les tables lui donnaient l'impression d'être dans un autre pays. Il avait déjà éprouvé ça lors d'un voyage scolaire en Espagne, un jour qu'il s'était égaré, seul, dans le barrio Santa Cruz à Séville, cette sensation d'avoir sur soi tous les regards et de n'oser en croiser aucun. Il se planta près d'une sorte de monument de pierre dressé au centre de la place, à l'ombre duquel trois zonards étaient installés, accompagnés de leurs chiens. L'un d'eux lui demanda s'il avait une cigarette, joignant le geste à la parole, comme s'il craignait de n'être pas compris. Sans un mot, Victor lui signifia d'un mouvement de mains qu'il n'avait rien à lui donner. L'autre insista pour savoir si, par hasard, il n'avait pas une petite pièce, un ou deux euros pour acheter à manger au chien, mais le garçon aperçut alors son père et son ami qui surgissaient d'un escalier et allaient disparaître à sa vue au coin de la rue et il courut à leur suite sans répondre.

Ils entrèrent dans un petit bar-tabac proche de la place Saint-Pierre et Victor resta à distance, adossé à un mur. Il faisait frais dans cette rue, à l'ombre, grâce à un petit vent qui courait entre les façades en charriant avec lui une odeur de cave humide. Il ne quittait pas des yeux l'entrée du bar et, fouillant dans ses poches, trouva un paquet de cigarettes. Il en alluma une, se rendit compte que c'était la première de la journée et que ça ne lui avait pas manqué. Il prit son mobile et composa le numéro de sa mère. « Maman », murmura-t-il pendant que la connexion s'établissait. Il ne pouvait pas s'empêcher d'espérer qu'elle répondrait, et que tout ce qu'il était en train de vivre s'évanouirait comme un sale rêve. Pourtant, il sursauta quand il s'aperçut que ce n'était pas la voix machinale de la messagerie qui lui répondait, mais un homme.

– Ouais, qui est à l'appareil ?

Victor regarda l'écran du téléphone comme si le visage de son correspondant allait s'y afficher.

– Allô ? dit-il dans un souffle.

Il parlait à l'assassin de sa mère. La boule de chiffon qui s'était logée la veille à l'entrée de son estomac reprit sa place et son volume.

– Putain quoi ? dit la voix.

Victor coupa la communication. Des larmes lui étaient venues et coulèrent sur ses joues, et il ne fit rien pour les essuyer, se contentant de tirer sur sa cigarette qu'il finit par jeter au loin. Une fille qui passait le dévisagea d'un air inquiet, ralentit le pas. Il leva les yeux vers elle, respirant avec difficulté parce qu'il avait le nez bouché et que ça se mettait à couler aussi par là. La fille hasarda un sourire mais il lui tourna le dos et se moucha dans ses doigts et essuya ses mains souillées à son pantalon, alors elle s'éloigna en serrant contre elle son petit sac à main.

Il reprit son souffle, regarda le ciel, la maison en face de lui avec un balcon débordant de géraniums, entendit autour de lui la rue recommencer son bruit habituel de pas, de voix, avec au fond, dans le reste de la ville, la rumeur basse de la circulation dominée dans l'aigu par une sirène de police, et il se décolla du mur, fit un pas sur le pavage, fut contourné par un groupe de touristes à qui une guide expliquait des choses en allemand.

Il entra dans le bar en poussant devant lui la porte de verre avec brutalité. Son père était accoudé au comptoir, tournant le dos à l'entrée. Il discutait avec le type élégant et un autre, un petit brun, à moitié chauve, qui avait gardé ses lunettes de soleil malgré la pénombre relative des lieux. Ils buvaient des bières, ils fumaient tous les trois et parlaient à voix basse d'un air pénétré, comme des conspirateurs. Victor vint s'installer à côté de son père, qui ne l'avait toujours pas vu, et commanda un soda quelconque. Il observa les quatre ou cinq autres clients, uniquement des hommes, attablés dans la petite salle aux murs couverts d'affiches annonçant des courses de taureaux. Il entendait tout près de lui la voix sourde de son père, il voyait ses épaules se soulever au rythme de ce qu'il disait, et pendant ce temps-là son cœur battait comme un fou, ses artères tapaient à ses tempes, et derrière ses tympans un gros bourdonnement achevait de tirer entre lui et le monde extérieur un impalpable rideau de sang.

Le barman posa devant lui un verre et une bouteille et lui annonça le prix, et Victor sortit de sa poche un billet de dix euros en s'excusant de n'avoir pas de monnaie.

– Laisse, Jean-Claude. C'est pour moi, entendit-il dire la voix de son père qui s'était tourné vers lui et le considérait avec stupeur.

– Victor ? Merde, qu'est-ce que tu fais là ? D'un peu plus je te reconnaissais même pas !

Victor haussa les épaules, ne sachant que répondre, puis parvint à articuler qu'il avait soif. Les yeux de son père s'emplirent de larmes, et il prit contre lui le garçon.

– Mon fils, mon fils, répétait-il en lui tapant dans le dos, en l'embrassant, l'écartant de lui pour mieux le voir.

Son visage était mouillé de larmes, et se couvrait d'une grimace indécise, entre rire et pleurs.

– Merde, mon fils ! Ça fait combien de temps ? Oh, putain !

Il se tourna vers ses copains qui contemplaient la scène, immobiles, et s'adressaient des coups d'œil étonnés.

– Les gars, je vous présente Victor, mon fils.

Les types serrèrent la main de Victor avec empressement. Celui qui portait des lunettes de soleil avait un sourire de loup.

– Tu nous avais caché ça, que t'avais un fils, dit-il.

– Regarde dans quel état ça le met, fit l'autre en montrant le père en train de se moucher dans une serviette en papier.

Il lui tapota l'épaule, puis demanda au barman de leur servir la même chose, pour arroser ça.

– C'est comme pour un baptême, ajouta-t-il.

Le père posa sa main sur l'épaule de Victor et l'y laissa pendant tout le temps qu'ils trinquèrent, en échangeant des exclamations de surprise et des banalités de circonstance. Le bonheur, c'était si simple qu'on n'y pensait pas toujours, et le temps passait si vite. Tu te retournes et hop tu te retrouves déjà vieux avec un fils plus grand que toi. Ouais, putain, la vie des fois. Pascal (« Tu m'appelles Pascal maintenant, hein, avait-il insisté, papa, c'est pour les mômes ») reprit assez vite contenance et manifestait à son égard une familiarité de vieux complice, lui expédiant des bourrades viriles censées abolir les deux ans au cours desquels il ne s'était pas soucié de son existence.

Victor les écoutait, acquiesçait à leurs considérations creuses, souriait lorsqu'ils s'esclaffaient de leurs propres plaisanteries, répondit de quelques mots aux rares questions précises qu'ils lui posèrent sur sa vie. Il se laissa embrasser, chahuter gentiment dans cette sorte de manège, feignit de s'indigner en bombant le torse quand le type élégant, qu'on appelait Tonio, lui demanda, en lui malaxant les épaules et les bras, quand il se déciderait à se faire pousser des muscles le long des os.

– Parce qu'elles aiment ça, hein, qu'il y ait ce qu'il faut dans le tee-shirt et dans le futal !

– Je suis sûr que de ce côté il manque de rien, plaida le père. Dans la famille on a du matos en magasin !

– Et t'es pas du genre à le laisser rouiller, ajouta l'homme aux lunettes de soleil d'un air entendu.

Les deux copains éclatèrent de rire. Le père jeta un regard en coin à Victor puis rigola lui aussi.

– C'est pas tout ça, fit-il quand l'hilarité fut retombée. Je compte arroser ça dignement, ce soir. C'est pas tous les jours qu'on retrouve son garçon ! Vous êtes libres, les gars ? Et toi ? Tu peux pas refuser !

Victor essaya de dire quelque chose, mais son père à nouveau l'attirait contre lui avec de gros soupirs d'émotion.

Les deux autres acceptèrent. Tonio proposa d'appeler deux ou trois copines pour mettre un peu de gaieté.

– On va pas faire ça en tapettes, expliqua-t-il. Vous allez voir, elles sont bonnes. D'ailleurs, dit-il en se tournant vers les lunettes de soleil, t'en connais une, toi, Mickey. Jessica, tu sais, la...

– Mais, oui, putain, la rousse ? elle est vachement sympa comme gonzesse ! Et puis voilà le canon !

Tonio leur tourna le dos et passa quelques appels sur son mobile. En dix minutes, il avait trouvé ses cavalières. Il se pencha vers Victor avec un clin d'œil :

– Elles ont vachement envie de te connaître. Tu vas voir, c'est des filles super. Vraiment des bonnes copines, et puis de ces bringueuses...

– J'irais bien me baigner, fit Pascal. Comme ça, on serait cool pour tout à l'heure. Elle est pleine, ta baignoire ?

Tonio consulta se montre.

– Pas de problème. Y a juste à gonfler les bouées.

Victor ne voulut pas laisser son scooter en ville alors il suivit la Mercedes jusqu'à une maison immense, perdue dans la verdure sur les coteaux de la rive droite, à vingt minutes du centre. Là, pendant que les trois hommes buvaient des bières au bord de la piscine, il se laissa ramollir dans l'eau, en essayant de comprendre ce qui se passait en lui et autour de lui, mais il n'arriva à aucune conclusion, à aucune pensée cohérente, sinon qu'il avait sa mère morte constamment à l'esprit, avec, comme un clou planté dans la tête, l'obsession que son assassin vaquait en ce moment à ses occupations, peut-être en famille, ou en train de boire un coup avec des copains comme le faisaient son père et ses amis. Il se demanda aussi pourquoi il n'avait pas parlé, et estima que la présence de Tonio et de Mickey l'avait empêché de faire une telle confidence. Et s'il leur en parlait quand même ? Et s'ils l'aidaient à retrouver le tueur ? Il imagina confusément le scénario d'une chasse à l'homme dans la ville, au terme de laquelle lui, Victor, donnerait le coup de grâce à ce fils de pute, lui ferait exploser la tête d'un coup de flingue, ou l'ouvrirait en deux pour le voir crever dans son sang et sa merde. Son cœur s'emballa à ce vertige. Il sentit la rage électriser ses membres, écraser ses poumons. Il se hissa hors de l'eau avec peine sur ses bras tremblants, et dut rester un moment assis sur le carrelage brûlant avant de retrouver son calme.

Vers huit heures, ils redescendirent en ville. Victor consentit à laisser son engin dans le garage de la villa et apprécia l'air conditionné de la voiture. Il contempla la douceur de la courbe du fleuve dans la lumière dorée du soir. Comme il ne disait rien, Mickey fit remarquer au père que son fils n'était pas très bavard.

Pascal frictionna la tête de Victor et dit que c'était un grand timide, qu'il était comme lui à son âge.

– Putain, ça t'a passé ! s'exclama Tonio.

Ça les fit rire. Pour rejoindre le restaurant, situé en face des abattoirs, ils passèrent devant des prostituées que les trois hommes reluquèrent ostensiblement avec des réflexions obscènes qui les firent rire encore. Ils riaient souvent, parfois pour d'obscures raisons connues d'eux seuls, comme des adolescents. Un mot, une allusion, un regard suffisaient à déclencher des éclats de rire, même si Mickey, toujours caché derrière ses Ray Ban (il les avait même pas ôtées pour se baigner), reprenait très vite un masque impénétrable, aux traits durs, comme tendus d'une colère contenue.

– Tu vas voir : ici, la gamelle est bonne, dit le père en poussant la porte d'un restaurant. La meilleure barbaque de Bordeaux. Et puis y a du beau linge qui vient se montrer. C'est très chic. Un soir, on a même vu le maire avec madame et trois ou quatre culs serrés dans leur genre, c'est te dire !

Ils en étaient à la deuxième tournée d'apéritif quand les « filles », comme ils les désignaient, arrivèrent. Elles étaient trois. Tonio leur fit remarquer leur retard, et l'une d'elles, une grande rousse nommée Jessica, l'envoya sur les roses en lui rappelant qu'elle l'avait prévenu, et qu'elles avaient dû se changer, s'attendre, bref, des affaires de femmes auxquelles il ne pouvait rien comprendre.

Pascal leur présenta Victor avec solennité, la gorge serrée par une émotion à laquelle l'alcool n'était peut-être pas étranger. Dans le silence qui se fit autour de la table, chacune tint à embrasser le garçon avec effusion, lui offrant au passage la perspective de son décolleté suggestif, et ce fut l'occasion d'une nouvelle série de plaisanteries grivoises à quoi les femmes ripostèrent crânement.

– Un peu de chair fraîche, moi, je dis pas non, ça me changera de vos vieux morceaux, fit Corinne, une brune à cheveux courts qui semblait la plus âgée des trois.

– Tu dis ça parce que t'y as pas assez goûté, fit Mickey sans rire.

Victor, qui écoutait tout ça en souriant, dut changer de place pour se trouver encadré par Jessica et Corinne, qui se frottèrent à lui en minaudant et lui promirent de bien s'occuper de lui puisque ce putain de Pascal leur avait caché qu'il avait un fils si beau. La troisième femme, très brune, tout de noir vêtue, faisait moins de bruit. Elle s'assit à l'autre bout de la table. Elle paraissait plus jeune que les deux autres, et se contentait de poser sur lui ses yeux noirs un peu tristes. Quand arriva le champagne, elle leva sa coupe dans sa direction et murmura quelque chose qui se perdit dans la confusion des toasts, mais Victor perçut la douceur de son ton malgré la distance, et regretta de n'être pas assis à côté d'elle.

Il ne se rappelait pas avoir autant mangé de sa vie. Au foie gras frais en papillote succéda un pavé de saumon au basilic, et les vins se suivaient, et son verre se remplissait sans qu'il eût conscience de l'avoir vidé. Quand arriva sur la table une côte de bœuf pour deux que son père avait choisi de partager avec lui, il demanda grâce et Pascal dévora la plus grosse part de la viande. Après que toutes les attentions et les regards eurent convergé sur lui au début du repas, on lui ficha la paix et, replié derrière les vapeurs d'alcool qui commençaient à faire autour de lui une cloche impalpable, il écouta parfois les conversations des autres auxquelles il ne comprenait rien, les vit partager des indignations dont il ne saisissait pas les enjeux. Parfois, sa voisine de droite – comment, déjà ? Corinne ? – riait en tombant presque sur lui et il sentait ses seins se frotter à son bras, et il ne se déroba pas à ce plaisir, incapable de savoir s'il le lui volait ou si elle lui en faisait cadeau.

Il vint un moment, un peu avant qu'on ne leur apporte le dessert, où Victor, comme on lui demandait soudain si les filles de son âge étaient aussi chaudes qu'on le disait, ne fut pas capable de répondre, la bouche engourdie, la langue nouée, perdu dans une rêverie informe et molle qui ressemblait assez au sommeil. Il essaya d'articuler quelque chose, sans savoir quoi, mais ne parvint qu'à émettre deux ou trois syllabes balbutiantes alors qu'autour de lui tout se mettait à se soulever et à tourner lentement, au rythme de ses artères cognant à ses tempes. Il se leva et faillit perdre l'équilibre, soutenu de justesse par une de ses voisines.

– Il va bien te tomber dans les bras, oui ! fit quelqu'un.

Il marcha entre les tables en tâchant de s'orienter, la gorge pleine d'une nausée étouffante, et aperçut la porte des toilettes vers quoi il pressa le pas. Il n'y avait personne, un vague parfum artificiel de menthe flottait dans l'air plus frais que celui de la salle, et il resta quelques secondes au milieu de la pièce exiguë, espérant que son malaise refluerait. Mais une bouffée de chaleur le souleva, un basculement général plia les murs, fit flotter le plafond, et il se précipita au-dessus de la cuvette.

Il se rinça la bouche au lavabo, s'aspergea d'eau froide, regarda dans la glace son visage luisant de sueur. Il respira deux ou trois fois à fond, bruyamment, pour être sûr que c'était passé. Il pensa de nouveau à sa mère. Il se demanda, pour la première fois, si elle avait souffert. Il revint dans la touffeur de la salle à manger d'une démarche plus sûre. Dans sa tête cognaient en même temps que la migraine des questions sans réponse, une douleur profonde qui désormais pulsait à chacun de ses pas.

On accueillit son retour à table avec une inquiétude moqueuse. Son père lui demanda si ça allait mieux, la bouche pleine de tarte tatin, un sourire narquois aux lèvres. Quand Victor se rassit, ses voisines de table le cajolèrent avec des rires et des baisers sonores, et l'une d'elles lui caressa la cuisse assez haut pour qu'il eût un tressaillement de surprise qu'elle perçut avec un petit grognement rauque.

De l'autre côté de la table, la jeune brune, que les autres avaient appelée Manu toute la soirée, ne le quittait pas des yeux, avec cette expression de surprise et de mélancolie mêlées qu'elle avait eue à son égard depuis qu'elle s'était assise. Victor la regarda plus franchement, lui adressa un toast muet en levant son verre d'eau. Elle répondit par un sourire qui fit courir sous la peau du garçon un frisson très doux.

Ils allèrent prendre « le dernier, pour la route », comme le dit Tonio, dans un bar situé un peu plus loin dans la rue. L'obscurité et la musique cubaine diffusée à fond écrasèrent Victor et firent exploser sa migraine. Comme les autres s'étaient accoudés au comptoir, pressés les uns contre les autres par la foule des buveurs, il se trouva tout contre Manu qui lui demanda aussitôt pourquoi il avait l'air si triste alors qu'il venait de renouer avec son père. Elle parlait si près de son oreille qu'il sentait le mouvement de ses lèvres l'effleurer. Quelqu'un derrière elle s'imposa au comptoir et l'obligea à s'approcher encore et elle dut se coller à Victor, et continua de presser son corps contre le sien même quand un peu d'espace se fit. Elle insista pour qu'il goûte le *mojito* qu'on lui avait servi, l'assurant que c'était bon pour ce qu'il avait. Il aima cette fraîcheur de citron et de menthe. Ils burent le verre à deux, gorgée après gorgée, avec des mimiques de plaisir et des sourires. Il n'avait jamais vu d'aussi près une si jolie femme. À un moment, il se retourna et vit son père en train de flirter avec Corinne. Quand il s'aperçut qu'il le regardait, Pascal encouragea du geste son fils à faire pareil. Victor lui tourna le dos. Manu posa sa tête dans son cou, et elle fit aller son bassin contre sa hanche.

Puis quelque chose bougea tout près d'eux. Jessica les regardait sans chaleur, les traits tirés, les narines dilatées par l'agacement. Elle se pencha vers Manu.

– Je me casse. J'en ai marre de ces connards. Si tu veux que je te ramène, c'est maintenant. Ton jules va pas être content, si tu rentres trop tard. Tu sais comment il est.

Manu se dégagea des bras de Victor comme d'un piège. Elle tordit la bouche, haussa les épaules avec une expression de dépit.

– Faut que j'y aille. J'ai pas le choix.

Elle l'embrassa sur la joue et se glissa dans la foule à la suite de la rousse, qui s'était contentée d'un « salut » hâtif.

Victor s'efforça de la suivre des yeux jusqu'à la sortie, mais elle disparut derrière un groupe compact qui venait d'arriver. Il se réinstalla devant le verre qu'ils avaient partagé, but ce qui restait au fond. Mais ce n'était plus que l'eau du glaçon fondu, et il n'y trouva des saveurs du cocktail qu'un parfum affadi.

– C'est des choses qui arrivent, ça, fit une voix sur sa gauche.

Mickey le regardait, son verre à la main. Il avait remonté ses lunettes de soleil sur le haut de son crâne. Ses petits yeux inquisiteurs épiaient les réactions du garçon.

– Y a des jours, comme ça... continua-t-il.

Pascal et Tonio saluaient déjà la barmaid, poussaient devant eux Corinne, qui devait s'appuyer tantôt à l'un, tantôt à l'autre pour tenir debout. Victor se faufila et sortit le premier.

Dehors, il sentit aussitôt l'odeur de vase de la Garonne et se souvint qu'elle coulait non loin de là, derrière les bâtiments des abattoirs, de l'autre côté de la voie rapide. Il faisait frais. Il respira profondément puis fit quelques pas pour aller s'adosser à la devanture noire et rouge d'une boîte, sous le regard méfiant du videur. Il sentait dans son dos les vibrations de la musique et il s'étonna du calme qui régnait soudain dans la rue. Il sentit dans sa poche le contact froid de son téléphone, qu'il ne se rappelait pas avoir pris avec lui. Il l'alluma, observa sur l'écran vert pâle se former le logo de l'opérateur. Son père et ses amis sortaient à ce moment-là, il entendit qu'ils le cherchaient, puis l'apercevaient.

– Qu'est-ce que tu fous ? Ça va pas ?

Il composa le numéro de sa mère, porta le téléphone à son oreille pour entendre encore les quelques secondes de sonnerie qui chaque fois faisaient surgir en lui, comme une vision brûlante, l'espoir fou qu'elle répondrait.

Un autre téléphone sonnait dans la rue, synchronisé avec le sien, et son cœur s'arrêta. C'était impossible. Presque autant que son attente déraisonnable. Il chercha des yeux la cause de cette aberration, puis sursauta, se raidit tout entier, bloc de pierre et d'acier planté au milieu du trottoir, quand il vit son père sortir de sa poche en râlant un petit appareil rouge et aboyer un « allô » rageur qui résonnait, métallique, assourdissant, à son oreille. L'homme aperçut alors son fils qui le dévisageait et tout s'immobilisa autour d'eux, la nuit, les lueurs crues des néons, les ombres qui se tenaient là, tout fut pris dans la glace de leurs regards soudés l'un à l'autre.

– C'est moi, dit Victor au moment où son père comprenait. Je suis là.

Hervé Le Corre

Avant de publier Copyright, *a écrit notamment* La Douleur des morts, Du sable dans la bouche *et* Les Effarés, *tous dans la Série Noire (Gallimard).*

Sucré, salé

Pierre Cocrelle-Stemmer

Vendredi : vingt heures trente. Allongée sur le canapé, un plateau-repas posé sur la table basse, télécommande à portée de main, je me suis enfouie sous la couette : *Tout sur ma mère* d'Almodóvar ; dans quelques minutes sur Arte. Je suis exténuée. Joli mois de mai ! Dernières copies à corriger. Examens et vacances approchent : un mélange détonant. *Chill out, sweetie*... La météo vient d'annoncer des orages. J'ai une pensée pour Charles et sa bande de sportifs quinquagénaires en randonnée sur quelque chemin de Compostelle.

Ce week-end, les enfants sont chez leur cousin... fêtent ses dix-huit ans. *Happy birthday*, Jonathan ! Lundi étant férié, ils rejoindront directement le lycée mardi matin. J'espère qu'ils ont tout ce qu'il faut avec eux. Pas d'imprudences, surtout...

Je les reverrai mardi soir. Un long week-end pour moi toute seule ! D'autant que je n'ai pas cours mardi...

La sonnerie du téléphone m'a fait sursauter. Au cinquième dring, je réalise que le répondeur est débranché. J'hésite, mais pas trop longtemps : les enfants, peut-être... La sonnerie laisse place à des grésillements plus ou moins numériques quand je m'empare de l'engin. Quelle bonne affaire !

J'entends, presque inaudible :

– Allô ? Marie à l'appareil, je te dérange ? *(criiic...)*

– Bonsoir, ma chère... Non, pas du tout ! Seulement je ne voudrais pas rater le début de *Tout sur ma mère*... Tu sais, sur Arte... Déjà vu, mais...

– Déjà vu aussi... Bon ! *(craaac...)* Je me dépêche. J'ai bien essayé de te joindre plus tôt, mais tu n'es jamais là. Quand est-ce que tu te décideras à investir dans un portable ?

– *Je résiste !*

– À quoi ? Tu sais... ai fini par l'acheter...

– L'échoppe mitoyenne à l'abandon dont tu rêvais ?

– J'ai fait ouvrir le mur de clôture. Pour la visite. Je t'invite... main soir, histoire de célébrer. Ser... tu disponible ?

Je ne suis pas une grande passionnée de ces événements, mais j'aime beaucoup le jardin de Marie : une étroite allée boisée (qui va désormais s'élargir) menant à un jardin de curé, joliment fleuri et empli de senteurs ; en plein Bordeaux. J'en oublierais vite les nécessaires et crispés « Comment allez-vous ? ».

C'est aussi l'occasion de croiser de vieux amis, avec lesquels – sans jamais nous le dire – nous sommes persuadés d'avoir survécu à quelque terrible épreuve (du temps, sans doute). D'où, à chacune de nos retrouvailles, ces émouvantes effusions.

Sans m'avoir laissé le choix, Marie m'a assignée au clan des Salés. Lorsque Marie organise un rassemblement de plus de deux personnes de sexe féminin, chacune doit décliner son appartenance. À savoir : Salé ou Sucré. Cette désignation n'est pas définitive. D'une invitation à l'autre, il nous est toujours possible de changer.

Quant à *chacun*, l'apport des alcools et autres liquidités lui est réservé. Dépense et ivresse appartiennent aux mâles, selon Marie...

L'heure est grave...

Branle-bas de combat, tous sur le pont !

– Tu peux compter sur moi, ma chérie. À demain ! Je t'embrasse...

Aussitôt raccroché, j'hésite : mettre le répondeur ? Débrancher ? Les enfants pourraient avoir besoin... Pourtant, je travaille ces satanées angoisses.

Demain sera un autre jour !

Par la suite, l'Amour, la Mort firent de drôles de rencontres sur l'écran et dans ma tête.

Après une nuit de sommeil agité malgré ma fatigue initiale, une journée *pas-vu-passée* dans les préparatifs culinaires, je démarre la Clio. Mon panier est empli de quiches aux légumes et de tapas – une idée venue de ma dernière virée au Pays basque sud... J'ai, tout à coup, une pensée-caresse pour le matou végétal de Koons dont le feuillage ronronne devant le musée Guggenheim de Bilbao.

Au dernier moment, je décide d'un petit supplément, une envie, une bouteille de graves blanc. Un château-fieuzal. J'espère que Charles se remettra de cet emprunt à sa cave. Nous habitons, rive droite de la Garonne, un confortable pavillon ; un hectare et demi à flanc de coteaux ; sur les hauteurs de Bouliac. Nous avons dépensé une petite fortune pour acquérir ce terrain. Le choix de Charles. J'aurais préféré une échoppe comme celle de Marie, dans la ceinture de Bordeaux. Mais Charles voulait clarté et perspective.

La famille de Marie habitait rue Bouquière, dans le quartier Saint-Paul. À quelques portes de celle de ma grand-mère maternelle. Un monde en soi : toujours trop petit ou trop grand. Nous avons joué, rêvé ensemble... Marie va donc devenir l'heureuse propriétaire d'une double *échoppe double*... Un peu beaucoup, non, pour quelqu'un qui refuse farouchement la vie à deux ?

Pour celles et ceux qui ne sauraient à quoi ressemble une *échoppe bordelaise*, une rapide description : bâtisse modeste, est généralement édifiée en pierre de taille. La façade, peu imposante, est travaillée, mais sans ostentation. La plupart, construites entre 1850 et 1914, se présentent de plain-pied. À mon avis, certaines maisons Art déco, édifiées durant les années 1920 ou 1930, peuvent être encore qualifiées d'échoppes. La plupart sont de plain-pied. Un couloir sur le côté : échoppe simple. Un couloir central : échoppe double. Simple, non ?

Tout se passe en enfilade... À l'arrière, après les alcôves, la véranda : un jardin ; dimension modeste, lui aussi. Un assez bon exemple de tempérance, en somme. Pourtant, les proportions demeurent aliquantes, flottantes. Le jardin peut dissimuler des folies.

Ce qui confie aux rues aimables du Bordeaux de ceinture et à la vaste banlieue centrifuge qui le prolonge une touche de L.A. California tamisée... Plus loin, les pins, l'océan, ou les châteaux de Dordogne...

Bordeaux est multiple, complexe, secret. Une ville pour initiés.

« Prenez Versailles, mêlez-y Anvers, et vous aurez Bordeaux », écrivait Hugo en 1843. (Et, depuis peu, sur Internet, le syndicat d'initiative...)

La circulation est impossible sur le pont de Pierre. Le trafic est, comme toujours, infernal. Travaux de partout : tramway, aménagement des quais, autres et divers ! Sur la rive gauche, la flèche Saint-Michel, formidable fusée, est prête à s'élever. Sa silhouette se découpe dans la lumière chaude et grondante du crépuscule. Le ciel, vermillon, est maquillé d'un trait de charbon. Dessous file vers l'estuaire une large Garonne café crème, parcourue de remous inquiétants.

Une heure plus tard, je parviens dans le quartier cossu Saint-Genès. C'est là que Marie a immigré. Pas besoin d'utiliser le charmant petit marteau. La porte peinte en bleu canard est entrebâillée. Une dizaine de personnes s'affairent à l'intérieur du salon. Un rapide bonjour à la cantonade, et je fonce dans la cuisine. Marie s'y applique à faire prendre la mayonnaise. Je pose mes plats au milieu des tranches de gigot, des accolades, des piles d'assiettes et des verres à déballer. J'emporte aussitôt au coin des apéritifs, vers le fond du jardin, mon graves ainsi qu'une bouteille de scotch tendue par une Marie « urgentiste d'occasion » : « Vite ! vite ! Ma chérie, je savais que je pouvais compter sur toi ! »

Le mobilier du jardin est en fer et peint en vert. Marie trouve le marbre morbide, le teck vulgaire, le plastique faux et éphémère...

Je croise en chemin des visages inconnus. Bon, celui-ci, celle-là, je reconnais. « Oui, toi ! Ici ! Tant que ça ? » Nous nous sourions, nous embrassons...

La brèche dans la clôture me permet d'aller visiter la nouvelle acquisition. Un couple m'a précédée. La discussion est animée : ils rénovent la maison ; de la cave au grenier. Ils ne semblent pas avoir besoin d'un avis extérieur ; ce qui n'est pas sans me soulager. Un moment j'ai cru qu'ils se disputaient...

Je parviens ainsi, en poussant quelques portes, jusqu'à une salle de bains en très piteux état. Le papier peint pend, décollé, et les carreaux sont sales et fendus. Des moucherons virevoltent de partout. Et cette humidité, cette odeur... Une femme m'a rejointe, me prend à témoin : jamais, non jamais, elle n'accepterait de prendre un bain dans cette baignoire où croupit une telle eau jaunâtre. C'est manifeste, même les insectes se précipitent pour y crever ! Sans doute imagine-t-elle ce bain comme une sorte de baptême maléfique, presque inévitable... Ne sachant que répondre, je m'empresse d'aller retrouver les invités de l'autre bâtiment.

Ils sont de plus en plus nombreux. Après deux doigts de Lillet, quelques amorces de conversations décousues, je décide d'avoir faim. Me dirigeant à l'extérieur vers le buffet, je croise Francis et Annie :

– Nous venons d'arriver ! hurle-t-elle.

Francis flotte dans son costume gris clair. La chemise est blanche, le troisième bouton défait, la pointe de col rebique... Et puis il y a ce visage lunaire, ces lunettes d'écaille, et ce regard, derrière les verres loupes, qui passe sans cesse du défi à l'inquiétude, de l'inquiétude au défi...

Annie se retient au bras de Monsieur. Un couple à la Dubout. Elle étouffe sous une longue robe noire et les kilos de trop. Elle souffle, souffle encore, en empruntant l'unique marche du jardin. Les orteils, vernis de mauve, s'entassent en bout de sandale. J'ai pensé, un instant, qu'ils étaient cyanosés...

– Ma chérie, je n'en puis plus... Faut que je m'assoie.

Elle me fait peur. Elle est énorme. Le noir de la robe n'y peut pas grand-chose. Elle se suicide d'obésité, elle le sait et sait qu'on le sait. Ce n'est pas pour lui déplaire. Ça ne doit surtout pas me fasciner. Je baisse les yeux. Je me suis laissé prendre la main entre ses doigts boudinés couverts de bagues. Lorsque je tente de me dégager, Annie me griffe un peu ; sans le vouloir.

– Tu veux bien m'excuser ?

Après tout, je suis là pour faire la fête, rester légère...

Francis abandonne Annie. Il me suit d'une démarche mécanique, la tête ailleurs. Puis il n'est plus là. Me reviennent, alors, des conversations entendues : « Un violent... Beaucoup plus jeune qu'elle... Reste au lit toute la journée... C'est elle qui travaille... Jusque-là, il n'avait jamais quitté sa mère... »

Quelques moucherons énervés, sans doute des rescapés du bain, m'escortent dans ma promenade. À mon retour, je découvre Annie coincée près de la véranda dans un fauteuil de jardin. Les pieds s'enfoncent dans le gazon. Ça s'est organisé autour d'Annie : un tabouret fait office de table basse. Les verres se remplissent, les langues se délient. Très vite notre petit groupe d'habitués se rassemble autour d'histoires croustillantes : « Tu ne le connais pas, celui-là ? Eh bien pourtant... »

Je m'éloigne assez vite ; bien décidée à ne pas demeurer plus longtemps le ventre vide. *Se combler...* Après avoir repéré l'endroit où sont déposés les salés, quelques « Bonsoirs ! Permettez ? » m'autorisent, sans trop de difficultés, à accéder aux assiettes en carton. Il y a déjà foule. Je découvre le buffet qui fait honneur à mon camp. Un sentiment de fierté m'envahit. « Pour notre groupe : hip ! hip ! hip... », ai-je envie de crier. Mais, peut-être, ne suis-je entourée que de Sucrés ? On me pousse par l'arrière, alors que je m'apprête à saisir une assiette. Les Sucrés posséderaient-ils des dons divinatoires ?

– Pardon ! Excusez-moi... Oh, mais c'est toi ! Francis, une assiette dans chaque main, a du mal à garder l'équilibre. Le carton fléchit sous le poids des contenus. Il paraît cependant bien décidé à poursuivre le chargement : Veux-tu bien ? J'aimerais goûter ça, puis ça ! Sers dans cette assiette... C'est celle d'Annie. Vas-y, encore ! Tu le regrettes ou quoi ? lance-t-il soudain, d'un ton dont la violence me surprend.

Je me retrouve dépositaire d'une assiette qui n'est pas mienne. Non seulement il est en train d'assassiner Annie, mais il me fait complice ! Annie, là-bas, paraît heureuse, parle, fume, boit ; comme d'habitude. Beaucoup de whisky dans le verre ; comme d'habitude. Très vite de vilaines pensées m'envahissent : Triple buse ! Ne pourrais-tu pas surveiller ton mec ? Francis attend : faut que je réagisse. Sans réfléchir, je réponds :

– Non mais, dis donc, est-ce que tu fais partie des Salés ?

Un état passager de confusion l'envahit. Il se ressaisit, prend à témoin son voisin de gauche, lance, menaçant :

– Le sucré, mon aigre-douce, ne serait-ce bon que pour dessert ? Serais-tu devenue trop amère ? Problème de pancréas ?

Je suis sidérée. Cet individu est vraiment prêt à tout ! Je m'entends répondre : « C'est comme tu soupèses ! » Il me tourne le dos, sifflote. J'ai perdu. Je le suis. Quel pauvre type ! Mes deux mains sont accrochées à l'assiette débordante destinée à Annie. Quelque chose m'échappe et je verse tout au long...

Nous sommes accueillis par des cris de satisfaction. J'entends un « Pas trop tôt ! ».

Annie, le rire rauque, entre deux quintes de toux (elle fume presque autant qu'elle mange) :

– Je pensais que vous n'alliez jamais revenir !

L'ambiguïté du propos me choque ! Heureusement, Alain, un copain « de guerre », me lance :

– Ça m'a l'air bon, tu fais goûter !

Je suis tellement soulagée que je lui laisse l'assiette. Annie s'empresse vite de la récupérer...

Un scotch pourrait me requinquer. Me voilà repartie au fond du jardin. Des adolescents se sont rassemblés dans une partie sombre. Boîtes de bière, de soda, à la main. Une odeur de cannabis se mélange à celle des sapins bleus... Qui boira encore du vin dans trente ans ? Comme disait Antoine Blondin : « Difficile de trinquer avec une seringue ! »

En rejoignant la table des alcools, je débarque dans une authentique buvette ! Poc ! Poc ! font les bouchons. Le chaland est surtout masculin. L'un d'eux se démène au service. Il se montre si consciencieux que je dois faire un effort pour ne pas laisser de pourboire. Les hommes bavardent, mais restent attentifs aux femmes qui approchent. Lorsqu'elles musardent, ils s'essayent au contact ; avec plus ou moins de réussite...

Un petit moustachu – quelque chose de Ticky Holgado – m'apostrophe. Il porte dans ses bras un caniche dépoilé.

– S'appelle Chipie, mais j'aurais dû l'appeler *Têtuuue*, parce qu'elle est têtuuue, madame, ou mademoiselle, comment ?...

L'accent est fort... Béarn, sans doute...

– Clémence !

– Famille prrrotestante ?

– En plein dans le mille !

Pas besoin de lui parler des marranes : doit pas connaître. Je m'appelle en fait Élisabeth Sabaté-Smith. Mon nom de jeune fille. Issue d'une branche hybride d'aventuriers spéculateurs et de propriétaires terriens. Vignobles et faillites ; Juifs convertis venus de Catalogne. Un surgeon anglo-saxon. Biens et propriétés ont disparu depuis belle lurette. Conséquences : un séjour dans un kibboutz durant l'adolescence ; une année de lectrice au lycée français de Los Angeles. Maintenant, prof, d'anglais, épouse depuis vingt ans de Charles, Fouquet, le florissant laboratoire d'analyses médicales...

Vite ! Il me faut mettre à distance le bonhomme. Je décoche la question qui tue :

– Seriez-vous ici, mon cher, en compagnie d'autres animaux ?

Monsieur m'exhibe un dentier épatant. Heureux ! Horreur ! Il vient enfin de tomber sur quelqu'un qui ne se contente pas de tapoter la tête du caniche.

– Dans le temps, j'ai eu un laping angoraaa... Qui m'avait été offert par ma marrraaaine. Elle vous rrressemblait un peu, d'ailleurrrs... J'ai aussi eu un chaaat. Vous savez, la queue bouchong. Coupé de siamois, le bougrrre... S'amusaient bien tous deux. Jusqu'au jourrr où le chaaat a bouffé le laping...

Tout compte fait, je me dis : Ma vieille, tu ne vas pas attendre de découvrir les différents sobriquets des animaux défunts... Dégage !

– ... Mais c'est quek'que chose que je ne ferrai plus : tuer un chaaat dans une pièce... Ça s'accrrroche au plafond, aux muuurs, ça grrriffe...

J'en remets mon départ :

– Qu'avez-vous fait, dites-vous, à cette bête ?

– Je l'ai tuéééе. Il n'avait qu'à pas bouffer la tête du laping, et mouahh, quand je suis en colèrrreu, je ne rrrigole paaas !

– OK ! Comment l'avez-vous tué ?

– Bbrrrisé les rrrreings ! Avec un balai. Craaac !

Je bois mon whisky cul sec, le temps de récupérer : plus rien à faire pour le chat... Je suis invitée chez Marie... Il n'y a aucune nécessité à mettre ce furieux en colère. Il pense, le corniaud, avoir fait preuve de virilité.

En revanche, je ne peux rien contre le renvoi qui me fait hoqueter. Après avoir demandé un autre verre et, dans la confusion, l'addition, je retourne voir Annie, Francis, et les autres. Je vais supporter. Au passage, je constate que la file d'attente à la table des Salés est de plus en plus imposante : je me dis que nous avons, décidément, beaucoup de succès.

Surtout penser à autre chose...

Pressentant que la soirée sera longue, notre groupe s'est installé autour d'une table sérieuse. Annie trône à un bout. À sa droite : Rita et son mari Jean-Luc. À gauche : Michel, Alain. Tous éclusent, béats. Francis s'appuie sur une chaise vide. Il balance. Bernard, flanqué de sa fiancée blonde (je ne retiens jamais son prénom), occupe l'autre bout de table. Je m'installe à côté d'Annie la Diva qui vient de m'en prier de sa voix forte... C'est vrai qu'il y a chez elle quelque chose d'une Montserrat caballe... monstrueuse...

La conversation s'anime au fil de la trinque. Il est question de voyages. Annie n'a jamais quitté le Sud-Ouest. Elle prétend ne pas supporter un déplacement qui dure plus de deux heures :

– Ah, si ! J'ai visité Londres, une fois... Pour ma fille !

Chacun s'applique donc à la faire rêver : couchers de soleil sur désert, plages de Crête, Cuba, cap Nord, enfin Alaska... J'en suspecte certains d'inventer des anecdotes pour ravir Annie qui, entre deux bouchées, en redemande. Francis ne participe pas à la conversation. Il a l'œil sur l'assiette, dans le verre d'Annie. De temps en temps, il se penche sur la table pour la resservir. Elle lui jette alors un regard énamouré...

– Pourquoi ? demande-t-elle à cet instant à Alain.

– Je ne sais pas, peut-être que les Inuits ne peuvent pas supporter les pissenlits...

Le petit groupe, autour, attend... Chacun cherche manifestement à saisir ce qu'il a pu rater des pérégrinations d'Alain dans le Grand Nord. Annie éclate de rire :

– Brisons-là, mon gars !

Alain, un peu vexé, nous quitte pour le buffet des Salés...

Rita, c'est le chou joli, un petit bout de femme d'apparence fragile. Mais rien qu'en apparence... Assistante sociale dans une ZEP. C'est elle, après s'être enfilé une bonne rasade de Schweppes-cognac, qui sort le groupe de sa stupeur :

– Avez-vous vu comment l'Éducation nationale traite nos enfants ?

Le ton est électrique. Faut au moins ça pour oublier les Inuits et le pissenlit... Annie se lance : raconte comment elle a été obligée d'évoquer une prétendue séparation avec Gérard (son mari) afin qu'Anna (sa fille unique) puisse accéder à un lycée bordelais.

– Et pourquoi tout ça ? Anna est à présent barmaid dans Earl's court, *swinging London*, sûrement lesbienne, et se drogue lourd... Quant au divorce avec Gérard, ce minable amateur de deltaplane *do-it-yourself*, il a bien fini par arriver !... Mais je n'aurais pas connu mon Francis ! nous déclare-t-elle, l'œil humide.

Francis ricane :

– Annie est arrivée dans ma vie en tenant par la main son Anna déjà bien roulée ! Moi, qui n'avais, ah ! ah ! jamais, jusque-là, ah ! ah ! trouvé le moindre intérêt aux enfants...

Soudain, il raconte, le regard fixe : il vient d'avoir six ans, entre le lendemain en cours préparatoire. Il l'a attendue, cette rentrée ! Sa mère l'a toujours gardé près d'elle. Il n'a jamais été en maternelle ! La nuit, alors que sa mère dort, il se relève pour s'habiller, essayer le cartable. C'est seulement après s'être assuré que tout est bien en ordre qu'il peut enfin trouver le sommeil. Le lendemain, sa mère l'accompagne. La maîtresse se montre très amène : « Ne vous inquiétez pas, madame, c'est un grand garçon que nous avons là ! »

Francis commence, lui, à s'inquiéter. Puis c'est la trouille complète lorsqu'il sent la main de sa mère glisser de la sienne :

– À ce soir, mon chéri, je te laisse entre de bonnes mains...

À peine sa mère a-t-elle repassé la porte de l'école que la panique s'accentue :

– Les autres enfants hurlent autour de moi, ils me tirent les cheveux, crient : « Oh, la fille ! Oh, la fille ! » C'est alors que la maîtresse se rue sur lui : « Non mais qu'est-ce que c'est que cette femmelette ? En rang et qu'ça saute ! » J'en ai pété une virgule dans mon slip !

Mais il n'était pas au bout de ses peines : sa mère avait décidé de tout mettre en œuvre pour sa réussite. Le soir donc, plus question de rêvasser. Aussitôt revenu de l'école, il se retrouve installé à la table de la cuisine : livre de lecture à gauche, cahier d'écriture à droite. Entre eux, une bassine bleue, un monticule de légumes ; pour le dîner.

Il est fier de montrer ce qu'il a appris. Mais sa mère dit : « Ce n'est pas bien ! Recommence ! »

Il recommence, encore, encore, et encore...

– Alors, ce fut le trouble, le doute... Ça mettait maman hors d'elle...

Jusqu'au fameux soir :

– C'était la page des *p.a. pa, p.e. pe, p.i. pi, p.u. pu*... La voix de maman, soudain, s'est éloignée pour devenir murmure...

Elle a beau gesticuler, maman, hurler, maman, il n'a plus peur ! Le lendemain soir, il vérifie qu'il n'a pas rêvé : tout d'abord, la fixer quelques secondes – pas trop longtemps, quand même. Qu'elle ne s'aperçoive de rien. Puis le silence l'enveloppe : gagné ! Il peut reprendre sa lecture.

– La tête me tournait, j'avais envie de dormir, mais c'était quand même mieux que d'avoir peur...

Il lui arrive, encore aujourd'hui, de vérifier que ce qu'il a appelé son système PIPO, en souvenir de cette première lecture, fonctionne bien en toutes circonstances...

– Après, nous nous mettions les bigoudis pour la nuit... Pour avoir tous les deux de jolies boucles, le matin...

Francis se lève pour refaire le plein des assiettes. Sous le regard attendri d'Annie. Il marche comme un robot. Michel a fait tomber son verre : il vient de rater la table en le reposant.

Nous restons interloqués...

Sauf Rita : emportée par tous ses reproches à l'égard de l'Éducation nationale. Elle s'est également levée de sa chaise et imite un de ses instituteurs. Elle parle de plus en plus fort, se rue sur la fiancée de Bernard en hurlant « En position ! ».

La fiancée n'a pas bronché. D'ailleurs, est-ce qu'il lui arrive de réagir ? Rita se rassoit, poursuit :

– À l'époque, on s'exécutait. Nous tendions les bras, paumes des mains tournées vers le haut, doigts rassemblés. Comme si l'on rajoutait du sel dans la soupe, mais à l'envers...

Rita a manifestement décidé d'incarner le maître, pas l'élève... Alain, assis en face de Rita, s'applique à mettre le sel à l'envers. Rita le frappe violemment sur les doigts avec sa fourchette :

– Non mais t'es pas bien ? Tu m'as fait mal !

– Et encore, estime-toi heureux, parce que toi tu ne savais pas ce qui allait t'arriver, alors que nous...

Alain doit avoir mal, mais s'efforce de rester impassible, voire réfléchi. Sa capacité d'empathie a toujours été surprenante : il est devenu *une petite fille avertie de la cruauté des adultes* !

Francis est revenu : il a dégoté un plateau qu'il utilise pour transporter deux énormes assiettes.

Marie nous a rejoints, prend mon épaule ; elle est en compagnie : un sourire timide, presque une excuse, sur le visage bistre du monsieur... Sous-continent indien, manifestement :

– Je vous présente Sand... ar ! C'est bien ça, n'est-ce pas ?

Le petit homme acquiesce. Vrai, faux, il va continuer d'acquiescer. Marie raffole d'un tel invité. Ce contact exotique l'intrigue et la rassure à la fois : elle participe ainsi à la vastitude du monde. Marie est persuadée d'avoir un esclave mandingue dans son ascendance familiale. La vérité éclaterait dans les lunules, la peau mate, les lèvres fortes. Sa façon à elle de se sentir près de la base, du tiers état.

– San... dar est tamoul ! Ingénieur, n'est-ce pas ? Informatique ? Je vous le confie. Alors on s'amuse bien ? Que pensez-vous de ma nouvelle acquisition ? Comment trouvez-vous les autres invités ?

Marie a la particularité de poser des questions sans se préoccuper des réponses. Ce qui lui importe, c'est que les invités aient l'air satisfait. Elle se tient debout entre Michel et Alain, évite de regarder Francis. Elle n'a jamais eu de sympathie pour lui. Quand Marie n'aime pas quelqu'un, elle l'ignore. Pire : elle parvient à ce qu'il (ou elle) devienne inexistant pour tous ceux ou celles qui l'entourent.

Marie a soudain disparu ; ailleurs, déjà. La conversation sur le sadisme des enseignants reprend de plus belle. Le dénommé Sandar se sent obligé, entre dans la discussion :

– Chez nous, l'élève subit des châtiments corporels... Très durs, parfois...

– Le sourire de la suppliciée chinoise ! L'opium qui sort par les yeux ! Les morceaux de peau qu'on arrache, les seins arrachés... Écorchée vive ! Vive l'Asie ! Georges Bataille nous a fait bander avec ça ! Au Sri Lanka, les fameux guerriers tamouls, vos compatriotes, crèveraient les yeux de leurs victimes à travers les paupières...

– Francis, ta gueule ! Jean-Luc le regarde, méchant.

En automate bien programmé, Francis repart chercher des assiettes.

– Parfois, il est très con ! grogne Jean-Luc.

Annie fait semblant de ne pas avoir entendu. Francis revient vite. Deux assiettes de plus ; remplies à ras bord. Livraison standard. Puis, il s'assoit entre Annie et moi.

Sandar en a profité pour se carapater. Notre petite troupe se met à boire, manger, fumer. Nous ne voulons pas en apprendre davantage sur l'éducation, la perversion ou le sado-masochisme des uns et des autres... L'osmose avec Annie est extraordinaire. C'est à celui ou celle qui en aura le plus dans la bouche, sur le couvert. Je croise le regard de Francis. Il s'adresse à Annie, mais me sollicite d'un clin d'œil :

– T'aime ça, bouffer, ma grosse ! Hein ? Pas vrai, Nini ?

Annie jubile... Jean-Luc se retient : je le sens monter. Francis paraît préoccupé tout à coup. Surpris, il me chuchote :

– Je suis un moins que rien !

Surprise, je lui demande de répéter :

– Je suis végétarien !

Je regarde les autres : tous sont concentrés sur leurs assiettes respectives. Seule Annie, entre deux bouchées, me jette un coup d'œil qui se voudrait distrait.

Le volume de la musique s'est élevé ; des tables, déplacées pour danser. Michel s'est attribué le rôle de disc-jockey et passe du rock au blues, un point, c'est tout : les ados apprécient peu, c'est manifeste.

J'observe une jeune femme qui évolue toute seule au milieu des couples de danseurs. Marie vient derrière moi :

– Dominique Scatt. Étudiante à l'École de la magistrature... Intéressante.

Un peu plus tard, une table est renversée. Verres et assiettes tombent sur le sol. Je m'approche. Dominique Scatt est à terre ; son jeans déchiré au genou. Un couple de danseurs s'excuse de cette bousculade. Elle sourit :

– Ce n'est rien, ce n'est pas grave, je vais m'asseoir...

Je n'ai pas envie de danser. Marie m'a intriguée. Je décide d'aller faire connaissance avec cette Dominique Scatt. Elle s'est mise à l'écart. Lorsque je m'approche, il me semble percevoir des larmes dans ses grands yeux bleus. Elle est très jolie.

– Tu t'es fais mal ?

– Un peu, mais ce n'est pas le problème, je suis surtout fatiguée...

– Moi aussi...

– Pas d'importance, à côté des vrais soucis...

Au fil de la conversation je comprends qu'elle est surtout affligée par ce qu'elle a découvert en cours de formation, lors de ses stages dans une maison d'arrêt, puis dans un petit tribunal de province :

– C'est terrible, on n'imagine pas : j'ai rencontré ce gosse de dix-sept ans : sodomisé en prison... Déjà violenté, enfant, par un oncle... Et cet autre : un adulte qui purge une peine de cinq années... Braquages... Grand banditisme... Veut changer de vie... On lui annonce, la veille de l'examen du brevet d'éducateur sportif, que ce diplôme ne pourra jamais lui être concédé, même s'il le réussit... À la sortie, il n'a pas pu avoir de relations sexuelles avec sa femme... Impuissant ; un bon moment. Il ne supportait pas la réminiscence de fantasmes homosexuels liés à l'incarcération. Badaboum ! Un soir, il tombe par accident sur un travelo, le jette à la Garonne... Il s'est constitué prisonnier après avoir, de justesse, repêché sa victime. Dominique Scatt me regarde, interrogative : Tu crois que je devrais continuer ?

Que répondre ? À ce moment, je vois arriver Chipie-Têtue dans les bras de son maître. J'ai une pensée pour la peine de mort et le chat... Le tueur de félidé passe derrière nous, s'écroule sur une chaise de jardin. Le caniche a l'habitude. Il saute des bras de son maître, s'installe à ses pieds. Tous deux reniflent, reposent...

– Pouvoir choisir n'est déjà pas si mal... je m'entends dire...

Dominique Scatt opine, peu convaincue. Chacune continuera. Pas besoin de se le dire. Peut-être nous reverrons-nous... Un jour.

Le noir tout autour. Une nuit sans lune. Rita et Alain dansent étroitement sur un titre de Calvin Russell : *Nothin'can save me from myself.* Manifestement, l'expérience commune de la pincée de sel à l'envers les a rapprochés... Jean-Luc, le mari de Rita, s'est installé dans le fauteuil derrière la platine. Michel sert du champagne. Francis et Annie sont côte à côte, finissent quelques gâteaux dans une assiette commune.

Marie continue de passer d'une table à l'autre. Le jardin fleure encore meilleur à cette heure-ci. Dominique Scatt paraît apaisée. Elle s'est remise à danser. Peut-être a-t-elle pris une décision.

J'aime ces instants. On sait que tout est à faire ou à refaire et que ce sera toujours comme ça. Jusqu'à la fin. La tête me tourne un peu, je suis nauséeuse, mais c'est peut-être mieux que d'avoir peur...

J'accroche Marie au passage :

– Le petit moustachu endormi, le caniche aux pieds ?

– Une obligation ! Le légataire qui vend l'échoppe... Un vicieux... Nous signons le sous-seing demain... Obligée de faire du rentre-dedans pendant des mois pour qu'il se décide à me la céder ! Un cabinet d'huissier à Pau... Propriétaire d'innombrables parcelles de pins entre Bordeaux, Dax, Bayonne... Pourrait faire un bon copain à Francis !

Un peu plus tard, Francis est venu dans ma direction. J'étais surprise : il m'a proposé de partager un slow, *Una lacrima sul viso*, Bobby Solo... Mes premiers émois au Ferret... Mes douze ans sur le bassin ; Pierre, les copains... Le temps n'existe plus. Je démarre, me laisse prendre la main... Bien sûr, Francis est trop maigre, l'épaule étroite...

Une main est descendue sur mes fesses. Le saligaud ! Il ricane ! J'essaye de me dégager : le connard me pétrit les seins.

– T'es pas cool, *Mater Dolorosa*... Pas mal foutue pour ton âge, ma cochonne !

Ma gifle est partie dans le vide. En revanche, je sens que je risque d'en prendre une en retour : il me secoue, méchant...

Jean-Luc est déjà là. Francis se fait coller au mur. Les lunettes ont valsé.

– Pauvre con de tordu ! Si je t'allume, tu perds ta tête !

Francis ne se défend même pas. Il cherche à ramasser ses lunettes. Un verre s'est brisé...

Je pleurniche comme une andouille percée à la fourchette. Je devrais être flattée, « vu mon âge », comme il a dit.

Marie a enfin son prétexte :

– Francis, tu pars immédiatement ! Je ne veux plus jamais te revoir chez moi !

Je cherche Annie des yeux : elle n'est pas parmi nous ! Ça va être terrible pour elle !

Un cri... Rita se précipite hors de la maison. Livide. Bouleversée :

– Venez, c'est terrible ! C'est Annie ! Elle est tombée dans les toilettes !

Nous nous précipitons tous dans la salle de bains. Annie est étendue sur le carrelage ; dans le vomi. Inconsciente. Elle saigne de la bouche et de la tête. Annie, sur le ventre, trempe dans ses déjections, dans l'eau répandue. L'odeur est épouvantable. La cuvette des W-C est brisée. De l'eau s'écoule en jet de la chasse disloquée... Jean-Luc est encore le premier à prendre les choses en main : il trouve le robinet d'arrêt... Jean-Luc se penche sur le corps massif. Il est vrai que, dans sa jeunesse, il a suivi des cours de secourisme.

– Éloignez-vous, laissez-la respirer ! Il s'applique à vouloir la coucher sur le côté. Elle est trop lourde ; il se met à crier :

– Aidez-moi !

Tout le monde se rapproche. Il crie :

– Éloignez-vous !

Alors on ne sait plus. Le groupe est devenu confus, proteste :

« Faudrait savoir ! » Rita, qui s'est reprise et connaît bien son homme, dit fermement :

– Laissez-nous faire !

À tous les deux ils basculent Annie sur le flanc. Annie tressaute, a des spasmes, se pisse dessus... Une sorte de crise comitiale... L'odeur d'urine est acre et puissante.

À cette heure-ci, et dans ces circonstances, ça vacille. Le groupe fait le choix du rictus... Annie aussi... Nous commençons à réaliser...

– Incroyable ! Pas un toubib avec nous, ce soir... Un fait exprès ! constate Marie qui attrape le téléphone, appelle le SAMU.

Je tremble de partout. Le SAMU demande à vérifier. Faut attendre leur appel. Ce n'est pas bien long mais cela paraît une éternité !

Jean-Luc s'efforce de dégager la langue, d'empêcher l'étouffement : Francis contemple la scène. La mimique est indéchiffrable... Personne n'ose lui adresser la parole. On sent qu'il n'est plus là ; qu'il est incapable d'être utile... Malade, lui aussi...

Quelques minutes plus tard, une camionnette du SAMU freine devant la porte. Annie demeure inconsciente. Ils se mettent à quatre pour la porter. La civière va-t-elle résister ? Le chauffeur m'interpelle :

– Salut Élisa ! On ne reconnaît pas ses vieux potes ?

Quelle coïncidence ! Je me croirais presque dans une fiction retenue d'une grosse ficelle... Comment pourrais-je avoir oublié Lucien et les huîtres qu'il amenait certains dimanches matin dans mon studio de Saint-Michel... La tête est chenue, il a forci, mais il y a toujours ce regard interrogatif qui cherche dans celui des autres des raisons de vieillir... Mon *amoureux*... Nous avions commencé les études de médecine ensemble... Nous les avons arrêtées l'un après l'autre : lui d'abord, moi après. En deuxième année. Désespoir de ma grand-mère ! Trop fêtards... Et puis la vie nous a séparés... Les retrouvailles de ses yeux verts autour de ce gyrophare bleu ! Il ne m'en faut pas plus pour éclater en larmes.

Lucien me tient dans ses bras :

– Tu l'accompagnes ?

Je me retourne. Marie me fait signe : Allez ! Allez ! Allez ! Francis est invisible. J'hésite. Mais il y a Lucien... Les sanglots retenus, je grimpe dans l'ambulance. Devant. Un privilège. Lucien, silencieux, se tient au volant. Les portes claquent ; l'un des médecins frappe à la vitre de séparation, donne le départ : « C'est parti... accroche-toi ! »

Les pneus crissent dans les virages ; la sirène trop puissante. Je regarde le tableau de bord qui indique vingt-deux heures. Je ne sais pourquoi, mais je sens le besoin de vérifier que ma montre Cartier est bien en phase... Les feux tricolores se succèdent. Lucien ralentit à peine. Nous sommes maintenant à cinq cents mètres du stade Chaban-Delmas, à huit cents mètres des urgences de l'hôpital Pellegrin. Je connais...

– Ce soir, Bordeaux-Lens ! me crie Lucien. Nous allons avoir du mal à passer !

En dépit de la sirène, du gyrophare, les groupes de supporters traversent devant l'ambulance comme si elle n'existait pas ! Un agent tourne la tête pour ne pas avoir à intervenir... Petit à petit, nous dépassons les entrées du stade... Odeur de merguez, de frites... Des jeunes, au passage du véhicule, tapent sur la carrosserie : « T'es niqué, là-dedans ! Oh ! Oh ! Allez Bordeaux ! »

Nous ne sommes pas au bout de nos peines : l'accès des urgences est rendu impraticable par les voitures des supporters en stationnement sauvage jusque dans l'hôpital. Un cauchemar ! Un film de Mocky !

Après des éraflures sur la tôle et le redressement répété des rétroviseurs, nous atteignons les admissions. Annie, toujours inconsciente, est rapidement transportée sur un brancard à l'intérieur du bâtiment. J'ai juste le temps de remarquer que son visage a pris la couleur des orteils...

– On pourrait prendre le temps de fumer une cigarette... Tu la rejoindras après, hasarde Lucien. Que lui est-il arrivé ?

– À vrai dire, je ne sais pas, mais j'ai l'impression d'y être pour quelque chose...

– Je te reconnais là ! Tu sais, je me dis qu'on y est pour très peu dans ce qui nous arrive, et pour presque rien du tout dans ce qui arrive aux autres !

– Comment peux-tu dire cela, avec ta fonction ?

– Tu parles, j'ai seulement essayé d'aménager mon côté délinquant. Je peux conduire à toute vitesse, brûler des feux... En toute impunité !

– Pourquoi as-tu arrêté la fac ?

– Parce que je m'ennuyais... Et toi, belle aristocrate, qu'es-tu devenue ?

– Une mère, une épouse, une prof de langue... Assez heureuse, jusqu'à l'an dernier... Après... Une histoire de diabète avec mon fils aîné... Et l'accident de sa sœur : le bras handicapé... Les deux événements à la suite en moins de deux mois... Fin de la joyeuse famille *Trapp*... Charles, mon mari, a fait une déprime... Il devient parano... et je n'ai plus...

Lucien est appelé à la radio. Il vient d'y avoir un accident sur la rocade.

Tant mieux...

– Excuse-moi, il va falloir qu'on y aille. À tout à l'heure, peut-être... Sinon, je te laisse un numéro de portable... Viens ! Je vais te confier à une collègue...

Après l'avoir regardé partir, des frissons m'envahissent. Me revoici donc aux urgences. (Pour les enfants, l'admission, c'est plus loin...) J'entends des clameurs montées du stade... Je me retrouve appuyée au comptoir des urgences, un numéro de téléphone cellulaire inscrit au feutre dans la main.

Le personnel suit le match, sur une télé, qui se déroule dans le stade à côté... Le stationnement sauvage tout autour du bâtiment leur paraît normal... Témoin, je sens bien que je pèse...

La recommandation de Lucien m'a été utile. La personne en question m'explique qu'Annie passe un examen : un échocardiogramme, à ce que je comprends. Elle aurait fait un coma diabétique. Tu m'estonnes ! L'infirmière, plus qu'aimable, m'oriente :

– Prenez la passerelle. Ensuite, vous verrez deux pancartes : « Bibliothèque des malades » et « Médecine nucléaire »... Faut continuer entre les deux, puis prenez à gauche, à l'extincteur !

La chaleur est suffocante. La coursive très fréquentée. Des gens vaquent en pyjamas, en T-shirts dépenaillés. Comme si l'insomnie touchait un monde souterrain, un peu déglingué. Je me dirige à l'estime et parviens enfin en cardiologie. Une jeune femme porte son nom inscrit sur une blouse bleue : Catherine Filet.

– Est-ce que vous pourriez me donner des nouvelles de Mme Faure, arrivée pour examen, il y a environ dix minutes ? Coma...

– Faut attendre le Dr Danet. Installez-vous dans la salle d'attente, près de l'ascenseur. Nous viendrons vous chercher...

Silence dans la salle d'attente. Deux vieillards, un homme, une femme, attendent sur des fauteuils roulants, sans bruit... Ils ne tournent même pas la tête à mon entrée... Des supports pour perfusion s'élèvent de leurs sièges comme des antennes. Je pense stupidement aux voitures tamponneuses de mon enfance qui me fascinaient place des Quintences... Mais le choc se produirait, ici, dans une lenteur impensée...

Je me suis installée sur une banquette ; du Skaï marron craquelé.

Sur la gauche, je suis chargée par un poster représentant un éléphant d'Afrique... Sur une tablette, des revues : *Point de vue, Marie Claire, Le Nouvel Observateur, D.S., NRJ Live, Molosse...* Je feuillette *Molosse* : on y vante les qualités de garde du dogue argentin... Angoissant.

Le vieux monsieur demeure immobile dans son fauteuil. Il paraît absorbé par la lecture de sa fiche de soins. Il ne la quitte pas des yeux... À un moment, la vieille femme tente de remettre sur ses épaules un tricot... Dieu sait pourtant qu'il fait chaud dans ce local ! Je me lève pour l'aider, mais un vertige s'empare de moi... La mamie me retient par la main :

– Eh bien ! Eh bien ! Faut vous reposer avant des examens...

Quelques minutes plus tard je me laisse gagner par l'envie de dormir, m'assoupis. Je suis réveillée par un gémissement qui vient du couloir. Ça répète... Comme un animal blessé... Un vieil Arabe, allongé sur un lit, geint... Parfois ça prend l'allure d'une litanie... J'appelle l'infirmière :

– Ne vous en faites pas ! Il fait toujours comme ça ! N'est-ce pas, monsieur Akri ?

Elle lui caresse le visage... M. Akri n'arrête pas pour autant... jusqu'à ce qu'on l'emmène pour une autre destination.

J'ai envie de pleurer. Revenue sur la banquette, je consulte ma montre : minuit et demi. « Catherine Filet » franchit la porte de la salle d'attente, accompagnée d'un jeune homme en blouse blanche. Le visage est délicat.

– Le docteur Danet... présente-t-elle avec un sourire, ce qui me paraît bon signe. Je me lève trop rapidement.

Le médecin m'explique qu'Annie serait hors de danger, mais qu'elle doit cependant demeurer en observation. Je vais pouvoir lui rendre visite, mais pas trop longtemps. Dernière chambre à droite au fond du couloir... Il s'excuse, a beaucoup de travail...

Bye, bye, Johnny be good...

Chambre 16. Je frappe à la porte, la pousse lentement... C'est la courbe de température qui me saute aux yeux. Dans d'autres circonstances, j'aurais pu en rire... Je m'approche du lit, Annie somnole. À peine ai-je fini de penser : Je vais partir, faut qu'elle se repose... que j'entends :

– Babette ? Toi ? Je suis contente de te voir...

– Moi aussi. Tu nous as fait une de ces peurs... bleues ! Je viens de rencontrer à l'instant le médecin de garde. Il m'a dit que tout allait bien pour toi. Ils vont te garder quelques jours...

– Francis est là ?..

– Non, tu sais, tout a été si rapide...

– Mais tu es bien là, toi ! dit-elle en sanglotant... Babette, j'ai besoin de le voir, je t'en prie !

– Annie, calme-toi... Ne t'inquiète pas ! Je crois qu'il a eu peur... très peur. Je te promets de revenir avec lui dans la matinée. De ton côté, promets-moi de te reposer...

Annie me regarde fixement : elle ne pleure plus. Elle lance en détachant chaque mot :

– Je te le jure sur la tête de ma mère !

Les yeux se ferment, la tête se détourne... Je me retire sur la pointe des pieds.

Après avoir demandé à l'accueil d'appeler un taxi, « Comment ? Vous n'avez pas de portable ? », je décide d'attendre à l'extérieur, de fumer une cigarette... Un homme est assis dans une voiture, la porte du passager ouverte, il écoute la radio. Il m'aperçoit, sourit, et se touche le sexe...

Arrive, enfin, le taxi. Le chauffeur est déplaisant. Pas un mot. Il attend mes indications. Destination donnée, nous partons vers la rocade. Le boulevard est jonché de papiers, de détritus... Plus tard, nous prenons le pont François-Mitterrand, direction Paris. Toujours pas un mot du chauffeur. Nostalgie, en sourdine, passe un vieux Joplin qui me fait chaud au cœur. Sortie Lormont... Dix minutes plus tard nous sommes devant l'immeuble d'Annie. J'entends, pour la première fois, le son de la voix du chauffeur : il m'annonce le prix de la course... Jolie voix de basse pour tarif en hausse...

Le couloir de la résidence est sombre... Des ampoules manquent. L'appartement, deuxième étage, second à droite, est silencieux. Je me dis que j'aurais dû demander au taxi de patienter. Dans mon souci de ramener Francis auprès d'Annie, je n'ai pas pris la précaution de téléphoner. Francis est peut-être encore chez Marie. Il serait temps que je laisse tomber ma résistance au portable ! Je sonne avec insistance. Le bruit de verrou me rassure. Surprise ! Surprise ! C'est Jean-Luc qui m'ouvre...

– C'est toi, je croyais que c'était Rita. Alors comment va Annie ? me dit-il.

– Tout va bien... Qu'est-ce que tu fais ? Tu es avec Francis ?

– Oui... Enfermé dans sa chambre... Veut voir personne. Nous l'avons raccompagné avec Rita... Il n'allait pas bien du tout. Je m'y sentais pour quelque chose... Pas bien, quoi !

Je traverse le salon. Sur les murs, les reproductions habituelles : Chagall, O'Keefe, etc. On se croirait chez Ikea... Du matériel informatique s'est propagé un peu partout... Sur la table, une bouteille de bourbon, un verre presque plein. Je frappe doucement à la porte de la chambre :

– Francis, c'est Élisabeth... Je viens de l'hôpital, Annie va mieux. Ouvre-moi ! Pas de réponse. Je me tourne vers Jean-Luc : T'es sûr qu'il n'a pas fait une TS ou quelque chose dans le genre ?

Jean-Luc n'a pas du tout envisagé cette éventualité. Il se met à triturer la poignée de porte en gueulant :

– Francis, fais pas le con, on te dit que tout va bien. Alors maintenant arrête tes conneries. Ouvre !

Le silence persiste. Jean-Luc termine cul sec le verre de bourbon :

– On se calme, on réfléchit, dit-il... Il se dirige vers la porte de la salle de bains, retire une clé... Il explique : dans ces résidences, les promoteurs ont souvent un souci d'économie.

Sur ces entrefaites, Rita revient de la station d'à côté une poche pleine de croissants. Je répète mon inquiétude au sujet de Francis. Jean-Luc s'essaye toujours à ouvrir, mais la clé refuse de tourner dans la serrure de la chambre... Il finit même par la casser.

– Francis, je compte jusqu'à trois... Après, je défonce la porte !

Rita tente l'apaisement. Trop tard. Jean-Luc a commencé le compte à rebours. À chaque énoncé, il recule d'un pas... Grotesque ! « Chose promise, chose due. » À trois, il s'élance contre la porte. Jean-Luc est un grand costaud. Surpris par le peu de résistance du montant qui éclate, il accompagne la porte dans sa chute. Il se retrouve la gueule par terre, au pied du lit.

Francis est nu. Il se masturbe, frénétique... Rita aide son mari à se relever, je m'approche de Francis, tente de lui parler... En fait, je suis dans une rage folle. Il y a eu son comportement durant la soirée, et, maintenant, ce sexe tendu, stupide, au milieu de tout ça :

– Écoute, Francis, on vient te dire qu'Annie allait bien. Je ne sais pas ce que cela te fait et je m'en fous ! En revanche ce dont je ne me fous pas, c'est la promesse que j'ai faite à Annie. À savoir que tu irais la voir dans la matinée, alors prépare-toi, elle t'attend...

– Salopes ! Je te ferai la peau ! et il me frappe au ventre...

Jean-Luc intervient, tente de le maîtriser. Francis hurle :

– Tu es avec ces morues, tant pis pour toi !

Ils ont roulé au sol. Rita et moi ne pouvons pas grand-chose... J'ai mal. Je suis terrifiée. Du verre cassé. *Mars et Vénus*, le livre de John Gray, spécialiste des problèmes de couple, se retrouve à mes pieds... La lutte continue entre les deux hommes... Jean-Luc pisse le sang : Francis l'a griffé profondément au visage... Jean-Luc le bourre de coups de poing au visage, c'est effrayant... Rita appelle le commissariat, les pompiers de son portable... Francis est fou furieux, en état second. Faut l'arrêter ! Je cherche autour de moi une idée, un objet... Je ne veux pas m'enfuir, je dois rester là... Les deux hommes se poursuivent à présent... Francis me bouscule violemment au passage, je prends un coup au menton qui me fait tomber en arrière, une grande douleur derrière la tête, un bourdonnement, et puis plus rien...

Lorsque je reviens à moi, je ne comprends rien. Puis, par flashes, les images, la réalité reviennent... J'ai horriblement mal à la tête. Je veux me relever. Je n'y arrive pas. Je suis sanglée sur une civière. Un pompier est debout à côté de moi, il me demande de ne plus bouger. Le visage de Rita, ensuite... Elle a les yeux rouges :

– Ne t'inquiète pas, ça va aller... La baie vitrée de la chambre est grande ouverte : Qu'est-ce qui s'est passé ? Où sont Jean-Luc et Francis ?

– Jean-Luc est à côté, avec les gendarmes... Les pompiers vont t'emmener à l'hôpital... Tu t'es cogné la tête sur le coin d'une...

– Et Francis ?

Rita hésite à répondre. Un second pompier vient aider le premier, demande à Rita de s'écarter. Je suis enlevée, transportée... Le plafond blanc défile... J'ai envie de vomir. Dans le salon, j'aperçois Jean-Luc. Il est assis sur un canapé et fait face à deux militaires... Il a l'air hagard, le visage est tuméfié.

La civière descend les escaliers. Les murs sont décorés d'une hideuse mosaïque... De toute façon, je n'ai jamais apprécié la mosaïque... Des voisins, en pyjama, observent, curieux... J'ai de plus en plus chaud, ma vision se brouille...

Je me réveille, une fois de plus, à l'hôpital. Marie est là :

– Ça va, ma grande ?

– Pas fort... Quelle heure est-il ?

– Trois heures, bientôt.

– Que s'est-il passé ?...

– Tu as...

– Non ! Que s'est-il passé pour les autres ? Où est Francis ?

– Francis s'est jeté par la fenêtre... Autant te le dire... Actuellement en réanimation... Jean-Luc et Rita sont toujours entendus à la gendarmerie... Ton menton est tout noir, ma chérie, ce n'est pas très beau...

– Annie est au courant ?

– Oui, elle n'était pas bien... Jusqu'au moment où elle a appris que Francis et toi étiez également à l'hôpital... Cela semble la rassurer... Les gens sont fous, je te dis... Elle dort pour le moment...

Une blouse blanche a pénétré dans la chambre. Elle est un peu surprise lorsque je jette : « Bonjour, docteur Danet ! » Je lui rappelle notre entrevue du début de la nuit. Il se souvient, s'excuse de ne pas avoir pu associer... Le début de week-end est rude, les traumatisés, nombreux... Il demande à Marie de sortir un moment, puis m'ausculte avec attention. Il me commente les radios : rien de grave n'a été décelé.

– Vous vous en tirez avec une grosse bosse, une commotion... Mais je préfère vous garder en observation... Plus raisonnable. Ce matin, tout au moins. Il faut que vous restiez au repos... Je lui demande des nouvelles de Francis : il se raidit... Un proche, un ami à vous ? J'acquiesce...

– Pour le moment, nous ne pouvons pas nous prononcer...

Je refuse d'en rester là ; je m'accroche :

– J'ai besoin de savoir !

Il me regarde un moment... s'assied au bout du lit :

– Votre ami a de multiples fractures. Son état est très sérieux. La colonne vertébrale est touchée. Il risque de graves séquelles. Toujours dans le coma...

Le Dr Danet est reparti. Marie revient quelques instants plus tard à mon chevet. Elle m'explique avoir essayé de joindre Jean-Luc et Rita ; en vain. Elle doit rentrer ; me téléphonera demain...

Je m'écroule. Ils m'ont fait avaler un calmant. Je ne vais pas résister longtemps au sommeil. J'entends tout à coup un bruit : l'infirmière sans doute. Je réalise que la porte est poussée trop délicatement : La silhouette est énorme...

– Annie ?

– Chut !

J'allume la lampe de chevet. Elle est effrayante. Les cheveux ébouriffés, le regard vide ; la respiration encombrée emplit la chambre. Elle est revêtue d'une robe de chambre trop petite... Ça accentue sa difformité. Annie s'approche de moi sur la pointe des pieds, les mains dans le dos. Je ne suis pas vraiment rassurée :

– Annie, qu'est-ce que tu fais ?

– Tais-toi, écoute ! Le ton est étrangement calme : Je voulais simplement te dire que j'étais désolée de ce qui t'était arrivé...

Mon inquiétude laisse place à un sourire. Je la rassure : mon état est loin d'être alarmant ; elle peut donc retourner se coucher ; j'irai la voir demain...

On vaque dans cet hôpital comme dans un supermarché... Manque que les Caddie...

Annie est toujours là, immobile. Je repense alors à Francis et m'apprête à proposer à Annie de s'asseoir, lorsqu'elle poursuit calmement :

– Je voulais surtout vous remercier... Jean-Luc, Rita, toi... Marie m'a expliqué...

Elle veut nous remercier de quoi ? Je suis soudain très gênée... Nous remercier de ce qui s'est passé avec Francis ?

– Je sais pourquoi vous l'avez fait...

Je reste bouche bée. Je ne comprends pas.

– Ça fait longtemps que l'on parle de Francis avec Jean-Luc et Rita. Ils t'ont sans doute expliqué. Nous avons une relation de couple compliquée, qui va mal se terminer, si nous ne changeons pas... La preuve ! Nous le savions tous les deux... Dès le début. Surtout moi. J'ai tout fait pour essayer d'arrêter... Jean-Luc et Rita, tu le sais, m'aiment beaucoup... Ils n'ont jamais supporté. Je ne vous en veux pas. Aujourd'hui, vous avez fait ce que vous avez cru devoir faire. Je voulais juste que tu saches que je savais. Nous n'en reparlerons jamais plus...

Là-dessus Annie m'embrasse, chaleureuse, repart comme elle est venue, tout doucement, sur la pointe des pieds...

Nom de Dieu ! J'ai un doute... Terrible !

Le calmant fait son effet, et, malgré toutes ces questions qui me traversent la tête, je ne peux résister plus longtemps au sommeil.

Le bruit des portes qui claquent dans le couloir m'a réveillée. Des voix. C'est l'heure de la température, du petit déjeuner. Je ressens une grosse migraine. Ma bouche est pâteuse. J'émerge peu à peu... L'hôpital est le pire des endroits pour se reposer. La visite d'Annie est floue, je ne sais plus ; je l'ai peut-être rêvée.

Quelqu'un vient me proposer une location de télé... devant mon refus, elle ne comprend pas :

– Ça ne va pas être gai, ma brave dame ! J'espère que vous serez visitée !

Vers dix heures le Dr Danet repasse me voir. Il m'explique qu'il termine sa garde, vient me dire... Je lui demande avant tout des nouvelles de Francis.

– Cette nuit, vers quatre heures, votre ami a fait un arrêt cardiaque. Il a été réanimé. Son état est maintenant stationnaire... Toujours le coma...

Je me sens mal. Je revois Annie : pas un cauchemar... Le Dr Danet est en train de s'excuser, il n'aurait peut-être pas dû m'en parler... Au contraire : je le remercie de sa franchise. Il me faut juste un peu de temps. Mais j'aimerais autant le passer chez moi. Il comprend, propose de me faire signer une décharge. Il me fait promettre de revenir au plus vite à la moindre manifestation de vomissements, vertiges... Je promets, bien entendu... On se serre la main, peut-être trop gentiment... Un beau mec, assez séduisant... Mais beaucoup trop jeune.

Marie me téléphone : elle m'apprend que Jean-Luc et Rita sont sortis en fin de matinée de la gendarmerie :

– Je ne comprends pas, ils auraient pu les faire revenir aujourd'hui... Ils les ont gardés toute la nuit... Sans ton hospitalisation, tu y aurais eu droit ! Décidément, quelqu'un qui se suicide, c'est toujours suspect !

J'abrège la conversation. Je m'habille en toute hâte. Il faut que je voie Annie... La tête tourne toujours.

Arrivée devant la chambre 16, je prends une profonde inspiration, ouvre la porte sans prendre de précaution, avance d'un pas décidé jusqu'au lit. Annie dort ; en position fœtale, visage vers la fenêtre...

– Qu'est-ce que c'est ?

Elle est réveillée. J'approche une chaise. Elle ouvre péniblement un œil :

– Ah c'est toi !

Annie déplie ses énormes jambes, entrouvre un second œil... Elle m'observe par-dessus la masse de son sein droit... J'attends ; patiente. Annie regarde quelques secondes le plafond, l'avant-bras posé sur le front ; me demande si ça va.

Je voudrais comprendre... Qu'est-ce qu'elle voulait dire, ce matin ? Annie feint la surprise. Elle ne comprend pas ce dont je parle. Je lui rappelle notre conversation. Quelques secondes de silence, le visage s'éclaire, Annie me répond en souriant :

– Écoute, Babette, la seule chose qui m'importe, c'est que je puisse m'occuper de Francis... Ça ne regarde plus personne d'autre maintenant... Que moi. Moi et lui ! Tu ne peux pas comprendre : tu as toujours été aimée, appréciée...

J'insiste : je veux comprendre. Mais Annie refuse le contact. Elle se tourne vers la fenêtre, ne répond plus... Je quitte la chambre, dépitée.

Les jours qui ont suivi, j'ai été hantée par toutes sortes de doutes, de suspicions. La gendarmerie m'a convoquée. Ça tombait bien : j'étais libre le mardi... Ils m'ont posé des tas de questions : j'ai expliqué les événements de la soirée, de la nuit. Et puis mon absence après le coup de coude de Francis... Ils ont fini par me laisser partir.

Les enfants, dans les jours qui ont suivi, m'ont pas mal occupée. L'anniversaire de Jonathan s'est passé sans incident : déjà ça.

Carla nécessite une rééducation intensive. Je l'accompagne tout le temps. Charles ne peut pas le faire. Il ne supporte pas. Alexandre vient juste d'être stabilisé. Ses prises d'insuline demandent encore une surveillance soutenue.

Carla et Alexandre vont mal tous les deux. Je ne supporte pas de les voir malheureux... Avec Charles, on ne se parle presque plus. Mal lui aussi. Je dois tenir pour quatre... Je n'avais pas besoin de cette histoire... La loi des séries ? J'attends l'embellie. Viendra bien.

Ce n'était plus tenable, fallait que je sache. J'ai contacté Rita, me suis assurée qu'ils seraient là tous les deux. J'ai proposé de passer. Ils s'en réjouissaient : nous ne nous étions pas revus depuis dimanche...

Lorsque je suis arrivée devant l'échoppe située à la sortie de Pessac, vers Arcachon, il bruinait. J'ai sonné. Rita m'a ouvert la lourde porte en bois. (Elle est totalement disproportionnée par rapport à la façade du bâtiment... Mais je trouve qu'elle va bien avec le physique de bûcheron de Jean-Luc, et, à l'opposé, fait ressortir le côté lutin de Rita...) Elle s'est jetée dans mes bras, m'a embrassée très fort... Elle m'a laissée passer, a refermé la porte derrière moi. J'ai suivi les pierres apparentes du couloir. Rita paraissait émue.

Jean-Luc, assis dans un fauteuil en cuir du salon, a posé son verre. Des bûches flambaient dans la cheminée. J'ai embrassé Jean-Luc. Il m'a tapé dans le dos, tout en me serrant trop fort contre lui... Jean-Luc m'a demandé ce que je voulais boire :

– J'ai un petit côtes-de-bourg qui n'est jamais décevant, je vais le chercher directement à la propriété.

Après, ils m'ont expliqué : il y a eu ma chute. Rita, paniquée, s'est mise à hurler. Jean-Luc et Francis continuaient de se battre... Rita s'est jetée sur Francis... Elle aurait hurlé que j'étais morte... Francis, tout à coup, ne s'est plus défendu, il est allé vers la baie vitrée, l'a ouverte et s'est jeté dans le vide :

– Les gendarmes se sont demandé si on ne l'avait pas poussé.

Même sans le vouloir... Nous étions un peu confus par moments. Ils ont dû faire venir un médecin... Et puis, il y avait Francis à poil... Ils pensaient à un adultère ou une partouze qui aurait mal tourné...

– Faut que je te dise, Élisa, me dit Jean-Luc en sifflant son verre cul-sec. J'ai essayé de le retenir avant qu'il ne saute... Mais j'ai senti sous mes doigts son sexe, ses couilles... J'ai reculé... Pas pu m'empêcher...

– Francis a été interné à plusieurs reprises... Suite à des TS. Et pas que ça : pédophilie... ajoute Rita. Nous l'avons appris à l'occasion. Il a été arrêté deux fois... Tu savais qu'il avait fait Polytechnique ? Aurait craqué ensuite... Délire.

Rita et Jean-Luc m'ont paru sincères. J'ai décidé de leur raconter ce qui s'était passé avec Annie. Au fur et à mesure de mon récit, ils étaient de plus en plus bouleversés. Ils ne comprenaient pas. Bien sûr, ils avaient beaucoup parlé avec Annie de sa relation avec Francis, du fait que l'un finirait par détruire l'autre et que, quitte à ce que cela arrive, ils préféraient que ce fût Francis qui passe à la trappe ; mais d'ici à ce qu'elle s'imagine qu'ils pourraient, par amitié, le tuer !...

J'ai pu alors apprécier le vin ; il m'a paru bon.

Les gendarmes ont poursuivi l'enquête. Nous avons été entendus plusieurs fois.

Il y a trois mois, Francis est sorti du coma. Muet comme une carpe... pas un mot ; paraplégique avec ça...

L'affaire devrait être classée. Annie s'est mise en disponibilité. Elle ne manquera pas trop à la cité administrative. L'arrêt maladie était fréquent, répétitif : une plaie pour l'organisation nécessaire des trente-cinq heures.

Elle a loué une maison à Meschers, près de l'embouchure de la Gironde, à quelques kilomètres de Royan.

Avec Francis.

Une aide-ménagère vient chaque jour. Une infirmière aussi.

Elle refuse tout déplacement. Rares sont les personnes qu'elle accepte de recevoir. Jean-Luc et Rita font partie des exceptions. Marie aussi. C'est ainsi que j'ai parfois des nouvelles. Il paraît qu'Annie est beaucoup mieux : moins de sel, moins de sucre. Elle aurait maigri et retrouvé son humour grinçant.

Annie a déclaré à Marie que la nourriture est sans doute le seul plaisir qui reste à Francis. Quand elle a dit ça, elle a pris Francis par le cou avec tendresse et il s'est mis à sourire, comme un gros bébé, sur sa chaise roulante...

Le taux de sucre d'Alexandre a rejoué au Yo-Yo. Pas très rigolo.

Carla s'accommode de ce bras qui ne sert plus. Elle aurait un petit copain...

Je m'habitue à tenir.

Charles a une maîtresse. J'en suis sûre. Tant pis, tant mieux.

Tiens, au fait, j'ai fini par acheter un portable.

Pierre Cocrelle-Stemmer

Né à Bordeaux en 1948, il a été notamment artiste plasticien et collabore, depuis sa création en 1994, à la revue Le Passant ordinaire.

Pourriture noble

Gilles Mangard

Pour Riton

– *Je crois que tu aimes Suarez, dit Stevenson.*

– *C'est ce que j'ai essayé de t'expliquer tout à l'heure dans ton bureau. Seulement, quand je l'ai enfin trouvée, elle était morte.*

Robin Cook

Ceux de mes ennemis contre lesquels je dois me battre le plus souvent n'ont que foutre d'un Government Model *: ils passent à travers les murs et même les plus grosses balles dum-dum ne peuvent les atteindre.*

Hugues Pagan

Le monde est sang, rouge, épais, métallique, sang qui gicle des orifices dévastés, plaies béantes et intemporelles, je saigne dedans, dehors, je déverse sur l'humanité l'essence même de ma vie, je hurle dans le silence intérieur de mes blessures, bête transpercée par la vaine indifférence des hommes, dont je suis.

Stéphanie Benson

Première nuit

Si j'avais su que l'on continuait à penser après, je me serais suicidé bien plus tôt.

Mon corps est encore chaud, il en a enfin fini. Il fallait ça pour retrouver la tendresse. Il y a encore quelques minutes, je pensais au néant. Assez sereinement en fait. Un psychiatre n'a pas peur de la nuit. Il y habite. J'attendais la fin du monde. Bushmills et phénobarbital. C'est toi, G, qui m'avais fait connaître les vertus du whisky irlandais. Tu te souviens ? J'ai laissé un petit mot sur le bureau. Je n'ai rien écrit pour toi. Tu vas souffrir. C'est exprès. Moi, maintenant, je vais bien. Toi, tu restes, tu te débrouilleras. T'aurais pu faire un bon psy, je te l'ai dit cent fois. S'il n'y avait les femmes, tu serais un ami plus que respectable.

Mais revenons à moi, si tu le veux bien. *Cogito ergo sum.* Je regarde mon visage. Je me suis rasé avant de mourir. Je ne me suis pas changé, mais je me suis rasé. J'avais un collier de barbe modèle Hezbollah. J'ai maintenant le menton lisse du collégien. Je réfléchirai à ça un peu plus tard. Ce qui me frappe, c'est la décontraction.

J'ai juste l'air de dormir. Sans rêves. Pour une seule fois plongé dans l'inutile, la vacuité, l'innocence. Si tu le souhaites vraiment, je me réveille. Mais j'ai décidé que je ne me réveillerai plus. *This is the end, beautiful friend...*

Dans un sens cette dissociation élégante m'enchante.

J'ai oublié d'éteindre le lecteur de CD. Les chorals de Bach se succèdent en sourdine. Je ne les entends pas, je les sens. Une âme n'a pas d'oreilles. Elle garde l'intelligence de la vibration. Un tout sans limites. Un petit infini. C'est merveilleux tout ça, G. Merveilleux. Quelle expérience ! Oubliée la lourdeur, je sais que le laser est en train de décrypter le BWV 639. J'ai l'âme qui bande, G. Tu comprends ? Moi qui ne suis plus capable, depuis longtemps, de la moindre érection. Moi qui n'ai jamais réussi, ni même entamé, le moindre processus de création, sinon dans la destruction lente de mon entité cryptoïde. Je suis là, allongé sur le canapé, sous ce tableau que tu aimais tant, fabriqué qu'il est à partir d'échantillons de terres méditerranéennes.

Je ne veux pas être enseveli en terre chrétienne, G. J'ai laissé un mot sur le bureau. Ils ne comprendront pas. Toi, tu sais. Seulement, personne ne te demandera ton avis. Difficile de transporter un cadavre vers l'Orient. Il doit falloir des autorisations. Alors tant pis. Ils me brûleront sans doute. D'ici là je m'offre le luxe de me décomposer un peu. Comment dire, d'exister comme un corps. J'ai pris mes précautions. Je suis en vacances. Je vais à Séville voir le Pharaon. Curro. Il va être très bon cette année. Il aura les taureaux. Il arrêtera le temps avec sa muleta comme je le fais maintenant.

On ne me cherchera pas avant dix jours.

J'ai le temps, G. Tout le temps. Toi, en Irlande, comme tous les ans, et moi à Séville...

Tu voulais m'emmener en Irlande. C'est trop tard, G. Trop tard. *Das alte jahr vergangen ist.* Mais je me souviens du Liban. Merci pour ça. Merci pour les bières glacées que nous buvions à Byblos en regardant la mer. Le vent faisait chanter les bougainvilliers et nous étions au bout du monde. Merci. J'avais encore le goût de la lumière. La poussière qui se déposait sur mes mocassins noirs signifiait mon voyage. Un voyage de poussière, c'est pas mal ça, G. Parfaitement biblique, non ?

Nous vivons dans un monde qui refuse la poussière. C'est peut-être pour ça que je meurs aujourd'hui.

Deuxième nuit

C'en est fini de la tendresse, je suis rigide maintenant. Il reste encore un peu de whisky au fond de la bouteille. Dommage. Personne n'en profitera. *One bottle a day keeps the doctor away.*

Bien loin de cette sorte de bleu, G.

Kind of Blue. Rue du Docteur-Albert-Barraud. En face des ruines du palais Gallien, près de l'ancien conservatoire de musique. Le piano dans le garage, je jouais pour la rue. L'été plombait l'asphalte, nous étions au frais. Tu suivais des cours d'art lyrique, nous improvisions comme des fous. *Kind of Blue.* Putains d'accords dans *Blue in Green*. Tu ne me faisais pas trop chier avec le tempo. J'ai toujours eu un problème avec le tempo (tu te souviens de nos quatre-mains du dimanche après-midi. Tu étais patient. Je n'ai jamais pu avoir le même temps que les autres, tu l'avais compris immédiatement. Je t'en étais reconnaissant, je crois).

Nous jouions vraiment n'importe quoi. Dans un savant désordre. On choisissait une grille harmonique, soudain, tout se défaisait. Je balançais quelques accords décalés, un méchant cluster et basta ! Tu suivais. Avec cette complicité inexplicable. Peut-être avions-nous en commun cette incapacité à accepter le monde et ses règles. Pour toi, c'était plus facile. Tu m'as toujours un peu bassiné avec ta conscience politique. Je suis un fils de la bourgeoisie. Je partais avec un handicap. Tu ne manquais pas une occasion de me le signaler. En blaguant. Tu me faisais mal. Je ne te l'ai jamais dit, G. Tu me faisais mal. Bien sûr, je me suis vengé un peu. Je ne t'ai jamais présenté à mes amis de classe. Ha ha ha. De toute façon, tu t'en foutais de cette société. Pourtant elle t'attirait un peu. À cause du mystère et du mensonge. Tu avais à apprendre pour le mensonge. Nous, on est parfaitement rodés.

Bon.

Tu les rencontreras à la cérémonie si quelqu'un pense à toi. Un de mes frères, j'espère...

Tu vois, c'est con. Le Gaveau est contre le mur. Avec les partitions. Le Mozart difficile, le Ravel qu'on tentait. Le premier mouvement. Le lent. Notre technique nous condamnait aux mouvements lents. Des gens passent dans la rue de la Devise. Ils sortent de la rôtisserie factice ou du Cafecito. Ils rient. Des garçons et des filles. Ils vont triquer sans doute. Cette histoire que je ne connais pas. Je n'ai jamais pu, G. Le truc de l'introduction. Enfin, de la pénétration. Je n'ai jamais goûté le miel d'un sexe de femme sur ma queue. Bordel, c'est pourtant si simple. Qui m'a exclu des choses simples ?

Pour toi non plus, ce n'était pas simple. Mais tu avais, comme on dit, une fonction érectile. Je visitais des églises romanes. C'est beau, le roman. C'est rond. Techniquement, ça monte moins haut que le gothique de ton pays. C'est plus sombre aussi. Mais c'est rond. C'est Dieu sans les arêtes ; la main qui se pose sur la pierre rose et qui pourrait encore, avec un peu de concentration, sentir la chaleur du maçon inspiré ; du païen dans le mystique. C'est l'interdit qu'on sculpte pour l'éternité, avec des diables, des anges bien nourris et des femmes adultères qui finissent en enfer.

Nous n'avons jamais visité d'église ensemble. Ah si, une fois, dans le Médoc. À Saint-Estèphe. Ce qui t'intéressait surtout, c'étaient les graffitis sur les murs de la petite pièce réservée à l'organiste.

Tu me le disais souvent : « Tu vois les pierres, moi, les gens. »

Les gens, G, ils m'ont toujours fait peur. Ils ne sont pas purs, ni lisses. Leurs pauvres âmes qu'ils venaient déposer en stand-by sur le divan de mon cabinet... Leurs pauvres âmes.

Voilà pourquoi j'aimais le flamenco et les églises romanes. Et Miles Davis.

So what !

Troisième nuit

Cette nuit, je suis vaudou. Le sang s'est retiré dans les zones basses. La pesanteur. J'en ai plein le dos et le cul. J'ai le bas bleu. Tu en veux encore, G ? T'en as pas marre de mon livedo ? Sois tranquille, je garde le dessus pâle ; les yeux ouverts. Le cadeau pour les vivants. Ils pourront toujours essayer de les refermer... Après dix jours.

Un petit tour en Afrique, c'est la nuit animiste. Je sais ce qu'on va faire, G. On commence par l'apéro chez Bibi, rue Kleber. On se le fait grave, comme d'habitude. Musique à la chaloupe, odeurs de poulet et de gingembre en provenance de la cuisine, le coude sur le comptoir qui colle au rhum, les yeux qui vont d'un cul à l'autre. Au rythme de la musique. Le cours de la Marne tout à côté qui descend vers la gare mais là, tous les deux, on est perpendiculaires ; debout. L'angle droit pour commencer. Parce que tout à l'heure nous finirons « romans ».

Marrant. Je te parle de ce temps d'avant. Mais dans ce temps d'avant j'étais déjà après. Tu prenais ça pour un dandysme. J'étais sérieux. Je percevais déjà assez bien ce qui m'attendait. La perte du sens après celle des sens. Ne me parle pas de sensualité, G. Je ne sais pas ce que c'est. Je ne cherche que l'ivresse. Qu'importe le moyen. C'est ce qui se passe « de l'autre côté » qui m'intéresse.

J'y suis, de l'autre côté, et je te parle quand même. Où es-tu en ce moment ? Dans le Tipperary, en train de liquider une Guinness avec tes potes. Si tu es un peu sorcier, comme tu le prétends, n'as-tu rien ressenti ? Je serais curieux de me mettre à ta place. Attends, je vais me concentrer.

Je te sens tout d'un coup. Tu es glacé. Tu es triste. Tu es seul.

La grande différence entre toi et moi. Tu es seul au milieu du monde. Et personne ne s'en rend compte. Tu as l'air de fonctionner à peu près normalement. Tu n'as pas encore osé regarder la balance qui mesure tes pulsions de vie et tes envies de mort. Mais, bon, je ne me fais pas de bile (c'est quand même mon boulot), tu vas y venir un jour. Je ne serai plus là. Et tu penseras à moi, ça j'en suis sûr, G. Comme je suis sûr que Curro va faire la faena du siècle demain, *a las cinqos de la tarde*.

Moi, je suis seul au milieu de personne. On n'ose plus trop m'inviter parce que je me bourre la gueule à table au grand cru classé. Même avec un beychevelle, un mec pété, ça reste un mec pété, tout psychiatre qu'il est.

On quitte Bibi l'Africain, on marche un peu vers la rue Lafontaine. Intermède andalou au Meson. Quelques tapas farouches arrosées au fino puis une bonne parillada et une bouteille de rioja *carta azul*.

J'aimais bien ma façon de survivre, G.

On parle de quoi, ce soir ? Je te laisse cinq minutes pour que tu me dises tes difficultés avec ta femme, ta maîtresse, la prochaine dame de ta vie. Tu n'as pas encore compris que tu finiras solitaire. C'est inscrit sur ton front. *Alone.* Solo, solo, solo, mon toto. *Dejame solo.* Avec cette histoire de sexe qui te préoccupe parce que tu n'es pas encore mort. Je ne voudrais pas être à ta place. Éros et Thanatos, *los dos diablos*. De mon côté, le problème de bite est réglé depuis longtemps. Et puis mon odorat s'altère. La clope, je sais. Deux paquets et demi. Craven A. Ça bouffe. Je tousse aussi tous les matins. Le rite obligatoire pour retrouver le souffle. Toussez, monsieur, toussez ! Dites trente-trois. Ne respirez plus... Respirez ! Ne respirez plus...

On se casse à la Paillote Vaudou. Allez. Allons faire ce tour en enfer. Quand nous nous sommes revus, après ces années d'« absence », je sortais de mon mémoire. Plus d'un an cloîtré. À vivre dans les livres et les mots qui ne bougent pas. À ne pas voir ce que devenait la ville. Me contentant de ces trajets fonctionnels entre l'hôpital Charles-Perrens et la rue de la Devise. Avec une bonne excuse pour justifier mon autisme.

Il y eut ce patient que tu avais envoyé dans mon service. Je saisis l'occasion pour te téléphoner au cabinet. Ça devait faire dix ans depuis nos nuits blanches passées à écouter *My Funny Valentine*. Le soir même nous mangions ensemble dans un boui-boui de Saint-Pierre. Quel grand bonheur de se retrouver. Aussi cons et parfaitement décalés qu'avant. Je me souviens de cette première soirée. Je t'ai dit : Je ne sors plus depuis longtemps, emmène-moi dans des endroits zarbis. Nous avons fini à la Paillote Vaudou. Là, tu avais tout bon. Tu m'as un peu soufflé. Ce truc, c'était vraiment quelque chose. Il fallait traverser le Pont de pierre, se retrouver donc sur la rive droite (je n'y allais jamais). Puis tourner à gauche, passer devant les ruines de la gare d'Orléans (t'as vu ce qu'ils en ont fait maintenant, un mégaciné où l'on regarde des films de beaufs avec des beaufs qui se fabriquent l'infarctus au pop-corn et au cola), suivre le fleuve sur cette avenue non éclairée et, après avoir longé quelques terrains vagues, se garer devant un pâté de maisons délabrées d'où une petite enseigne à la gloire de Kronenbourg émergeait. On était arrivés.

Le portier avait un large sourire et quelques kilos de trop. Il était noir comme la nuit. Ah, que j'aime la nuit. À l'intérieur de la paillote : le Rien. Un beau Rien avec de la musique très forte, un sol de ciment sans apprêt, des bancs contre un mur sale, un bar avec des trucs plus forts les uns que les autres et les plus vieilles putes blacks du quartier. L'endroit parfait où tu n'existes que par ta propre projection. En fait un endroit où tu meurs en dansant. La Paillote Vaudou, elle portait bien son nom.

Nous étions complètement cassés après le rhum de Prosper. Ça ne faisait rien. Nous restions jusqu'au bout. Lorsque le patron lançait quelques petites boules de lacrymo pour nous chasser dehors. Pour fermer et rester avec ses femmes...

Nous nous retrouvions dehors, titubant, les yeux en feu, riant, hoquetant. Nous traversions l'avenue et regardions la Gironde avec, de l'autre côté, les quais de Bordeaux. Cette ville est belle, G. Foutrement belle. Et sombre comme le « bois d'ébène » dont certaines grandes familles ont tiré leur richesse.

Le jour se lève, je dois me mettre en repos. L'âme du mort doit s'effacer le jour. Les vivants ne comprendraient pas. Je ne suis pas là pour effrayer. Juste pour essayer de partir comme je peux. Mais je t'en parlerai ce soir...

Quatrième nuit

Tu te demandes, G, pourquoi je suis toujours là ? Il faudrait que je te parle de cette fille. Parce qu'il y a quand même une fille. Comme dans le quatuor de Schubert. J'aimerais mieux attendre encore un peu. Trop tôt. Je ne sens pas encore assez mauvais. J'en suis encore à cette odeur musquée, chambre de vieille. Une odeur transitoire, triste, surannée, nostalgique. Une odeur de perte définitive mais pas une odeur désagréable. Une odeur de fin de sexe ; pas encore une odeur de mort.

Là, maintenant, immédiatement, je voudrais me relever. J'ai oublié quelque chose. Effacer cette inscription sur la cheminée. Trace nocturne de ton passage : « L'Allegro assai du concerto en *sol* et le BWV 639 ; *es lo mismo...* »

Ces nuits à écouter toujours les mêmes morceaux de musique. Pour en finir avec les mots voyageant au bout de l'alcool. Cette exaltation finale quand nous passions inévitablement dans le monde des fantômes. Qui peut comprendre ça ?

Alors pourquoi effacer ?

Juste un truc pour nous. Un code. Excuse-moi, je laisse cette phrase intime à la portée de tous. Qu'importe. Il est trop tard. Personne ne la remarquera, tout occupés qu'ils seront à évacuer mon corps, la conscience critique un peu inhibée par son état.

Lorsque je suis revenu du Caire, tu m'as mené vers l'estuaire. J'avais acheté des cassettes d'Oum Kalsoum, que nous mettions à fond dans ton autoradio. En fin de matinée, tu étais venu me chercher. Les quais de Bordeaux étaient déserts. Une belle journée d'automne. Tout le monde à la plage, nous dans ta 405 en route vers le Blayais. Je fumais clope sur clope. Tu avais l'air triste. À cause de la mère de ton fils. À cause de la femme avec qui tu vivais. À cause de toi, surtout. Je ne suis pas ton médecin, G. J'avais mes problèmes aussi. Par-dessus tout, j'aimais quand nous étions ensemble. Juste tous les deux.

Ta compagne pensait que nous avions une relation homo. Nous en avions discuté. *Something else*, G. Juste une conjonction d'âmes.

Nous étions dans ta voiture, quelque part entre Bordeaux et Saint-Loubès. Quatre voies parfaitement rectilignes. J'ai horreur de ça. La ligne droite. Une invention de gagne-petit, la ligne droite. Le plus court chemin d'un point à un autre. On ne peut trouver plus con. À force de raccourcir l'espace, on raccourcit le temps, la mort. On perd le sens, G.

Alors je pense à cette fille qui est morte. Et je hais d'autant plus l'axe rectiligne. Je voudrais t'en parler mais c'est encore trop tôt. Le ciel est magnifique et tu commences à te détendre.

Un peu plus tard, sur la rive droite. Surplombant le bec d'Ambès et ses raffineries. Tu avais garé la voiture près d'un cimetière et nous regardions le confluent en fumant des cigarettes. Juste à l'endroit où Garonne et Dordogne se rejoignent, épuisées de tant de terres traversées, s'unissent dans un dernier sursaut pour aller vers la mer. Ce faisant, elles perdent leur nom. Et la Gironde, mi-doux mi-sel, fleuve intermédiaire, leur vole l'embouchure. J'ai toujours aimé cet endroit. La maison de famille n'est pas très loin. Tu ne sais pas grand-chose de mon enfance, G. Ça n'a pas une grande importance. Nous pouvons faire l'économie de toute cette violence. Regarde plutôt ce ciel qui nous parle de sereins tumultes. Rien ne bouge ici, même pendant les tempêtes. Nous sommes dans le domaine de l'immuable. Seule la lumière se paye le luxe de la variabilité. Pour le reste... Un espace de vie morte. L'estuaire de la Gironde, le paradis des mélancoliques.

Il nous fallait de l'alcool. L'heure de l'apéro. Je commençais à trembler un peu. Physiologique, me diras-tu. La pure expression du tremblé de ma vie, te répondrai-je.

Direction Blaye, sa citadelle et ses cafés fortifiés.

Devant le troisième demi, je me sentis mieux. Nous regardions les remparts de Vauban, quand tu repartais dans ta tristesse. Dépose-le sur la petite table en fer, ton besoin pathologique d'être aimé. Quelle connerie ! Tu te plantes, c'est évident. Tu as juste besoin que l'on te voie comme tu es. Avec le noir et la violence à l'intérieur. Tu es un sorcier et les sorciers n'ont pas le même rapport au monde que les autres. C'est difficile, G. Parce que ta belle blonde, ta lumière, bien sûr qu'elle t'aime. Mais tu l'effraies. Et elle génère ta violence. Pourquoi ? Elle seule le sait. En tout cas, tu vas la perdre. Vous réglez vos comptes avec d'autres gens de par vos âmes interposées. C'est dangereux. Très dangereux.

Le moment attendu. Le bac. Entre Blaye et Lamarque. Le lien entre deux mondes. Du Blayais au Médoc. Fin d'après-midi. L'heure magique. Et je voulais que tu sentes ce que peut avoir de féminin cette partie de l'eau. Désormais plus un fleuve mais pas encore la mer. L'appel du large, le mascaret qui vient s'abandonner, remontant le courant, sexe salé dans ce sexe de grave et d'eau. Ultime but d'un monde indéfini. Je pourrais te parler des heures de cet endroit, G. Pour comprendre, il faut être rendu au bout de la tristesse. Tu n'y es pas encore mais ça va venir.

J'entends des pas dans l'escalier. Les voisins du dessus. Ils parlent fort. Retour de restaurant avec un coup dans le nez, sans doute.

Je regrette un peu. Juste un instant. Tout ce qui va me manquer. Trop difficile tout ça, G. Depuis plus d'un an que nous ne nous voyons plus. De ma faute. Il fallait rompre. Pour finir, j'avais perdu le goût de tout. Plus d'odorat et plus de saveur. Je toussais de plus en plus. Et puis la solitude, c'est bien au début, après, cela devient une mauvaise habitude.

Il y a la fille.

Je te demande encore un peu de patience. Nous y venons.

Cinquième nuit

Mon corps commence à s'assouplir. L'odeur s'humanise de même. Je me faisande comme un méchant gibier. Puissé-je devenir pure carnation. Comme ces chairs espagnoles qui me fascinaient au musée du Prado.

Alors il y a la fille. Une Allemande. Nous nous étions rencontrés lors d'un concert, rue du Ha. Elle était avec des étudiants. Elle se faisait chier. C'est chiant, les étudiants. J'étais sous le coup des suites de Bach que nous venions d'entendre. J'avais envie de parler de Dieu parce que j'étais seul, parce que j'avais sifflé quelques verres avant le concert. Pour oublier mon corps. Juste pour ça, G. On ne va pas rencontrer Bach avec son corps. On transporte son âme, on voit ce qu'il se passe ensuite.

Elle était devant moi pendant tout le concert. J'écoutais les phrases musicales qui montaient dans la basilique. Il faisait froid. La glace me prit soudain par les pieds (je portais ces foutus mocassins qui ne protègent de rien), puis monta doucement. Je me laissais aller dans cet engourdissement. Le froid, la basilique, la nuit et le violoncelle, tout cela semblait parfait. Voilà. Ce mec qui déroulait son archet me parlait de ma mort. Je pensais à la justesse des événements. Un vertige parfait, en somme. Sauf que je ne tombais pas. De temps en temps je me rendais compte que j'étais toujours vivant sur cette chaise. Alors l'angoisse me prit et il y avait cette fille avec ce corps de violoncelle. Elle portait une petite veste beige assortie à son pantalon que ses fesses pleines tendaient. Tout cela était trop rond, G. Brusquement. Parfaitement inutile devant Bach. Mais je posais mon regard sur une courbe.

C'est sa main sur mon épaule qui me réveilla.

– C'est fini.

Je m'étais endormi. L'alcool ou la résignation. Ou peut-être les deux à la fois. Tout le monde debout, moi dans ma torpeur. Ailleurs, comme d'habitude. Les bruits des chaises qui grinçaient, le brouhaha des voix qui enterraient la musique, le quotidien qui niait Dieu. Les trucs habituels.

– C'est fini.

Alors je tournais mon visage vers elle. Je la trouvais aussi belle que sa silhouette entrevue.

– C'est fini depuis longtemps, lui répondis-je.

Elle se raidit.

– Moi, je n'aime que les commencements.

– Excusez-moi, j'ai perdu le sens de l'introït.

Je me levais lourdement. La basilique me tombait dessus de toutes ses pierres noircies. Et, simplement, je percevais la logique de ma fin. Les étudiants vibrants entouraient la jeune femme, l'entraînant vers la sortie. Elle tourna la tête vers moi. Je les suivis. Dehors il faisait l'hiver. Les respirations s'en allaient en vapeur sous la lumière faible qui sortait encore de l'édifice. Les groupes s'éparpillaient. Elle, au milieu de l'un d'eux, souriait vaguement. Je me tenais à côté. J'allumai une Craven A en les écoutant. Un mec paraissait plus assuré, costaud, un peu lourd même, avec un beau visage. Une espèce de gros bébé à qui rien n'était encore arrivé et qui devait passer ses week-ends à Arcachon sur le bateau de Papa. Il la mangeait des yeux.

– Quand même, dans la passacaille de la quatrième, je l'ai trouvé léger. Un peu fatigué sans doute. C'est dur à jouer. Qu'en penses-tu, Sophia ? dit-il.

– Je n'en pense rien. C'est trop proche. La musique ne me fait jamais penser. Elle m'envahit. Je suis mauvais public, je n'aime pas la critique.

Gros-bébé perdit en une seconde de sa superbe. Il se reprit en contemplant sa petite troupe toujours groupée.

– Fait froid, là-dehors... On va boire un coup à L'Avant-Scène ? J'ai des places dans la Golf.

Cherchant quelque chose dans son sac, Sophia (je connaissais son prénom à présent) en reculant vint heurter mon bras. Ma cigarette tomba.

– Je suis désolée, c'est la deuxième fois que je vous dérange.

Je crus distinguer un léger accent germanique.

– Vous ne me dérangez pas. Je ne suis pas là.

– Vous êtes étrange. Vous ne répondez pas comme tout le monde.

– J'ai des problèmes avec le discours officiel.

Elle sourit.

– Je m'ennuie avec eux, emmenez-moi quelque part.

– Je connais un quelque part avec de la musique andalouse et des bières bon marché.

– Ça ira... Vous faites quoi, dans la vie, quand vous ne vous endormez pas au concert ?

– J'écoute les âmes pleurer.
– Les hommes ?
– Non, les âmes.
– Ça fait comment ?
– Ça fait mal...

Ce soir-là comme d'autres soirs, elle me suivit au Cafecito.

Je t'en dis trop, G. Pourtant, il me faut aller jusqu'au bout. Que tu comprennes enfin. La suite est sombre, il me manque un peu de courage pour continuer. La nuit se termine, l'ombre du pauvre jour vient lécher le plafond. À l'hôpital, c'est le moment où les corps se relâchent, abandonnant la lutte, l'heure des infarctus, l'heure des décompensations pulmonaires, des fins de phases terminales, des petites morts annoncées quand le reste de la famille dort tranquillement à la maison, parce qu'il faut une conclusion à toute cette angoisse, toute cette souffrance inutile, toute cette vie absurde, tous ces souffles naïfs, toutes ces peaux transpirantes, toutes ces âmes perdues...

Sixième nuit

J'ai vieilli de vingt ans. Mon enveloppe se racornit tel un vieux parchemin. Je pue. Une mouche bourdonne dans la pièce. Je ne sais par où elle a bien pu entrer. La chair en décomposition attire les mouches parce que la mort attire la vie (jamais le contraire).

Certains détails prennent alors leur importance. La mouche m'évoque l'oiseau. Un petit merle mort que j'avais découvert un matin sur le rebord de la fenêtre donnant sur la cour intérieure. Le puits de jour est très étroit. Sans doute s'était-il heurté aux murs pour retrouver le ciel. Il gisait là, depuis je ne sais quand, ses ailes à demi déployées et son crâne fracturé. Je restai quelques instants à le regarder. Je tendis la main pour caresser ses plumes, son œil à demi fermé ne contemplait plus rien. Ce n'était qu'un oiseau mais mon cœur se serra. Une boule monta lentement dans ma gorge. Quelques larmes coulèrent sur mes joues mal rasées puis les sanglots me prirent. Dans le fond, je me sentais très bien. De quelle belle compassion j'étais encore capable.

Ne souhaitant pas que Sophia qui venait me rendre visite de temps en temps tombât sur le cadavre, je le jetai dans la poubelle sous l'évier et l'oubliai là. Le lendemain, en fin d'après-midi, ma petite Allemande sonna. Rentré tôt de l'hôpital, je tentais de déchiffrer assez maladroitement une valse de Chopin. Sophia ne téléphonait jamais. Elle passait ou elle ne passait pas. Sa façon d'être libre. Elle était plus jeune que moi, je n'avais pas le choix. Et puis nous n'avions pas encore parlé du machin sexuel à la con qui est censé exister entre la fiche mâle et la fiche femelle. Je tirai la cliche reliée au long filin qui descendait les deux étages, courait le long du couloir et déverrouillait la porte de l'immeuble. J'entendis le cloc de l'ouverture, les pas de la jeune femme sur les pierres. Je comptais avec elle les marches. Cela suffisait pour moi. Peu de gens venaient me voir, G. Vraiment très peu. J'ai toujours vécu dans la densité de la solitude. Je me remis au piano pour ne pas la voir lorsqu'elle entrerait dans l'appartement. Je fermai les yeux et laissai mes doigts errer sur le clavier, cherchant des notes qui n'existeraient jamais vraiment. Je sentis sa main sur ma nuque. L'aile de l'oiseau. En silence elle traversa le bureau pour se rendre à la cuisine. Le thé rituel de son passage. Elle m'en amenait un nouveau à chaque fois. Mon alcoolisme la rendait triste, alors elle me faisait des infusions asiatiques.

Elle cria.

Je la rejoignis rapidement. Elle se tenait debout devant la poubelle en plastique, les bras repliés contre ses seins, elle se pétrissait les mains. Je me penchai et vis. La poubelle était maintenant remplie d'asticots blanchâtres. Il y en avait partout de ces saloperies rampantes. L'oiseau, putain. L'oiseau. J'étais hypnotisé. De cette petite mort de piaf pouvait jaillir un spectacle aussi gesticulant et dégueulasse.

– Fais quelque chose, je vais vomir, me dit-elle.

Je pris une grande poche de plastique noir, y vidai le contenu dérangeant, raclant avec un couteau les vers collés à la paroi. Je descendis le tout dans l'arrière-cour, passai la poubelle à grande eau, remontai, la rinçai à l'eau de Javel. Sophia était assise dans le canapé.

– Tu n'as pas fait le thé ?

– Quelle horreur ! Et toi tu me parles de thé.

– Juste un oiseau mort. Un petit merle de rien. La vraie horreur n'est pas là.

– J'en ai encore froid dans le dos.

– Imagine une route en Afrique. Au Rwanda ou ailleurs. Des cadavres humains sont empilés un peu partout. Et les asticots que tu as vus tout à l'heure les mangent lentement. Petits asticots blancs sur leurs corps noirs.

– Arrête !

Elle s'était levée, blême, tremblante, en colère, indignée, violente. Je m'approchai doucement. Elle me tourna le dos, reprit sa sacoche d'étudiante et partit en claquant la porte. J'imaginai une seconde son corps bouffé par les vers et me remis au piano.

La grosse mouche bourdonne en tournant dans la pièce. J'ai peur de la mouche, G. Elle va pondre, la salope. Je n'y avais pas pensé. Il faut me protéger des asticots, G. Il faut que tu m'aides. Il le faut, G. J'ai besoin de toi. Tu ne l'as pas compris à temps. G, la mouche s'est posée sur moi.

Septième nuit

Le mort a un avantage, il ne rêve pas. Ça repose. Ces cauchemars m'empêchaient de vivre. La vie m'empêchait de vivre. Je me suis libéré de tout ça. Tu me les racontais, tes rêves, espérant sans doute l'interprétation de l'homme de l'art. J'écoutais, ne te disais rien. Tu n'étais pas mon patient, G. Juste mon ami. Sans doute le seul mais tu n'en savais rien. Je me souviens de tout. Je garde, G. Je n'oublie rien.

Nous nous étions un peu jetés dans un quatre-mains. Pas assez de travail de part et d'autre. Tu posas tes mains sur tes genoux. J'allumai une Craven A.

– Je suis épuisé par mes rêves.

Je tirai une longue taffe en regardant par la fenêtre.

– La nuit dernière, j'étais dans un bar. Un machin assez sélect et parfaitement désert. Pas tout à fait. Il y avait ma femme. C'était une pute. Vachement belle. Elle discutait avec un client. Un mec un peu gros, à l'air parfaitement crétin et profondément triste. Je buvais un whisky à l'autre bout du comptoir. Il n'y avait même pas de barman. Nous étions tous les trois, le client, ma femme et moi. Elle était bourrée, comme d'habitude, mais la compassion qu'elle avait pour son partenaire me touchait. Je la trouvais très professionnelle. Vraiment très belle. De temps en temps, elle me jetait un regard sans signification. Juste pour vérifier que j'étais là, sans doute. J'étais presque fier du boulot qu'elle faisait, à essayer de donner de l'amour, à écouter. Elle faisait, avec lui, ce qu'elle n'avait jamais fait avec moi. Alors je buvais sec l'alcool pour m'extraire du monde. À un moment, elle vint poser la main sur mon bras et me demanda si je connaissais quelque chose au tai-chi-chuan. Elle devait avoir besoin de quelques notions basiques pour entretenir la conversation avec son pingouin. Je lui dis que je n'y connaissais rien. Et que, d'ailleurs, elle le savait parce qu'elle était, entre autres, ma femme... Elle retourna vers son client sans me dire un mot.

Ensuite je sortis du bar pour aller travailler. Je cherchai, dans l'armoire posée sur le trottoir, la chemise et le manteau dont j'avais besoin pour me vêtir. J'étais torse nu et il faisait très froid. Je ne trouvai ni l'un ni l'autre. Je voulus revenir dans le bar mais, par la vitre, je vis que ma femme avait disparu avec son partenaire...

Putain, quel rêve à la con !

Ce n'était pas un rêve à la con. Tu n'étais pas mon patient. Ta femme me cassait les couilles. Ta tristesse me touchait. Mais c'était tout. J'écrasai ma cigarette et posai mes mains sur le clavier, faisant résonner quelques basses.

– Il ne te reste pas quelque chose à boire ?

Je me levai pour aller chercher la bouteille de Bushmills. Quand je revins, tu étais dans le canapé (le même où je gis à présent), écoutant Camarón de la Isla...

Tu imagines, G ? La fin du rêve... Le monde est un disque de vinyle qui gratte un peu sous le diamant, je suis au début du sillon, luttant contre la force centripète. La mouche est une salope, elle a appelé ses copines. En ces temps de mort civilisée, pas tous les jours qu'on peut se goinfrer avec le primitif.

La première fois, j'en voulus à Sophia de s'être déshabillée. Elle m'avait suivi dans ma chambre, pas rebutée par les vêtements qui traînaient un peu partout. Je voulais juste dormir. J'étais normalement saoul pour oublier le réel et le bordel du corps. Elle était vraiment belle avec ses petits seins pointus (des seins d'adolescente) et son cul italien. Elle fit ça un soir très naturellement puis vint se frotter contre moi. Comment lui expliquer que ça me donnait envie de la tuer ? Je me levai en titubant, me cognai contre les murs du couloir, entrai dans la salle de bains, me mis à genoux devant le bidet pour vomir. Puis je pris une douche glacée.

Quand je me recouchai, elle pleurait, me tournant le dos. Je m'endormis en quelques secondes. Au matin, elle était partie.

Je ne sais toujours pas comment on touche une femme, G. Je

m'en fiche un peu, d'où je suis. Quand même, je dois te l'avouer, j'ai eu envie parfois d'être quelqu'un d'autre.

Huitième nuit

Je plaisante avec cette histoire d'âme parce que je sens ma pensée qui se dilue. L'énergie me quitte, G. Nous n'y pouvons pas grand-chose. J'ai brûlé trop de calories à cataboliser l'alcool. J'ai passé trop de temps à m'enrouler autour de la bouteille. Un vrai cauchemar. Mon unique ivresse, mon amante destructrice. La boutanche ne présente aucun imprévu, aucun suspense, et ne demande qu'un investissement personnel minime. Je parlais avec moi-même (le seul autre que j'acceptais intimement) jusqu'à perdre l'usage de la parole.

Quand je suis arrivé à un litre de Bushmills par jour, j'ai eu peur. Les murs de mon appartement se refermaient sur moi. Je tombais régulièrement dans l'escalier. Un petit matin, c'est le SAMU qui m'a bordé aux urgences. Un voisin m'avait trouvé en sang, demi-comateux à mi-chemin entre le dehors et le néant. Quelques mois plus tard, lorsque je suis sorti de l'hôpital après mon accident de voiture, tu m'as trouvé alors une clinique discrète à l'autre bout du pays. Pour les confrères, j'avais pris des vacances en Espagne.

C'est à ce moment, je pense, que j'ai commencé à te haïr. Je ne te reconnaissais pas le droit de ce secret entre nous. J'en ai chié là-bas, mon vieux. Un vrai légume dégoulinant, voilà ce que j'étais. Au milieu de débiles mentaux, dans un asile de luxe au bord de la Méditerranée.

Je suis revenu sevré d'alcool mais bourré de tranquillisants. De ne plus boire, c'était pire. Les quelques moments de lucidité que je te dus alors constituèrent l'épreuve la plus insoutenable de ma vie.

À cause du cadavre, G. À cause du crime. Je crois qu'il s'agissait d'un meurtre. J'ai mis du temps à m'en assurer. J'ai attendu pour t'en parler. Le moment est bientôt venu.

Les flics vont sans doute prendre des photos quand on me découvrira. Je n'aimerais pas que tu les voies. C'est moche, la mort. Vraiment moche. Mais nous n'avons aucune raison de chercher à enjoliver l'affaire, non ? La question du suicide est sans doute la plus importante qu'un être humain doit se poser. Je ne suis pas Sisyphe, G. J'ai choisi la réponse qui me convenait le mieux. Ne plus souffrir. Ne plus jamais souffrir. Respecte au moins ça. Je m'en vais seul. Je me liquéfie dans un monde, une ville qui se liquéfie de même, immergée qu'elle reste dans ses concepts de grande bourgeoise étriquée. La quitter en schlinguant, comme un misérable. Le pied, G, le grand pied. Je leur fous ma sale chair à la gueule, à tous ces castrateurs de plaisir. Tu avais raison, G. Il n'y a rien de pire que la bourgeoisie. Trop éloignée de la simplicité. La simplicité se nourrit de la sincérité et du don de soi. Alors tu vois. Dur à trouver dans mon entourage. À peine moins autistes que moi, ils sont, ces gens. Et sûrs de leur supériorité. Regarde-les une seconde lorsqu'ils sortent de leurs repères. Des pingouins qui se font bouffer par l'orque au premier plongeon dans l'eau glacée...

Une grosse mouche est tombée dans le fond de Bushmills et s'y est noyée.

Neuvième nuit

Das alte Jahr vergangen ist. À partir de maintenant, G, on rentre dans le flou artistique. Qu'est-ce que Sophia pouvait bien trouver de palpitant à partager des instants de sa vie avec moi ? C'était sans doute ce genre de femme à vouloir te guérir quel qu'en soit le prix. De la race des infirmières. Je me demandais parfois si ce monde sans sexe ne provoquait pas, chez elle, une exaltation autrement plus signifiante, une forme de valorisation. Cette jolie demoiselle n'était pas qu'une paire de fesses. Je lui laissais la possibilité de partager mes dérives métaphysiques. Elle venait quand elle avait envie d'autre chose. Elle était pratiquement certaine de me trouver seul à chaque fois, plongé dans un livre ou dans un flacon. Pour le reste, il y avait ses amis de la fac.

Un samedi de printemps, je me souviens, tout s'est terminé. Elle devait repartir en Allemagne le lundi suivant et désirait passer quelques heures avec moi. En début d'après-midi, elle m'apporta du thé russe que nous bûmes religieusement. Nous parlions du ciel, du fleuve et de la terre. Je lui dis que je connaissais un endroit où, par un temps comme celui-là, ils se rejoignaient en un tout mystérieux et primordial.

Assise à côté de moi, sur le vieux canapé, elle regardait droit devant. Le bureau plein de paperasses, le hamac tendu derrière (un souvenir de Guyane), la cheminée poussiéreuse et la glace sur laquelle j'avais collé les photos de Curro. Les partitions de piano éparpillées sur le sol. Mon saint désordre.

Elle portait un pull marron à col roulé et un jean bleu très ajusté. Ses cheveux étaient encore mouillés de pluie (elle détestait les parapluies). Je posais la main sur sa cuisse droite. Elle inclina la tête, la posa contre mon épaule. Je sentis l'odeur de pomme, regrettai mon geste immédiatement. Mais je ne bougeai pas, tétanisé par la douleur.

Un peu plus tard, nous étions dans ma voiture, en route vers le Médoc. Par la vieille route. Celle qui passe par Bacalan, la cité lumineuse, le camp des Gitans. Elle me parla de sa thèse. Elle en voyait la fin avec tristesse. La bourse qui lui permettait de venir à Bordeaux ne serait plus renouvelée. En fait, elle me disait adieu. Cela n'aurait pas dû me toucher.

Tu souris, G.

Tu as raison, le monde me sembla soudain sans intérêt.

L'homme est étrange. Il se définit dans la perte. D'où son besoin de conquête.

Je restais silencieux.

– Tu ne connais pas l'Allemagne ? Tu pourrais venir me voir.

Elle ne le souhaitait pas vraiment. Elle savait que je le savais. La pluie avait cessé. Du ciel nuageux émanait une lumière froide et dure. La route luisante longeait le fleuve dans un mouvement d'asymptote. Le château Beychevelle se dressa devant nous. J'arrêtai la petite Nissan devant les grilles et sortis une cigarette.

– C'est là ?

– Pas loin. Ce que tu vois, devant toi, c'est juste la vanité du pognon. Ça ne veut rien dire du tout.

Je jetai la Craven A par la fenêtre, redémarrai la voiture et pris le chemin qui bordait le château et les vignes par la gauche. Direction le fleuve. Tout au bout. J'y venais pour la première fois accompagné, tout au bout. Juste un ponton de pêche avec son carrelet et sa petite cabane en bois, entre le ciel et l'eau.

Sophia sortit, s'étira, levant les bras, se cambra comme un chat, secoua sa chevelure, me lança un regard pendant que je rallumais une cigarette et prenais la bouteille qui était en permanence sous le fauteuil du conducteur. Elle s'assit ensuite au bord de la plateforme. Je la rejoignis.

C'était l'endroit. Un lieu sans couleur définie. Les trois éléments s'unissaient en une harmonie triste, angoissante. Rien de vraiment stable dans tout cela. La grave, le fleuve, le ciel humide liés en un étrange mariage à trois. Je pouvais rester des heures à cet endroit. La réponse à la plupart de mes interrogations se trouvait certainement ici. Je n'avais pas encore la clé.

– Je comprends pourquoi tu aimes.

– Tu as de la chance. Moi, je ne comprends pas.

– C'est silencieux, sinistre et envoûtant. Presque un endroit sans Dieu. Ça sent la mort, ici... Tu bois trop.

– On ne boit jamais trop. On boit.

– Tu conduis.

– Et alors, ce n'est pas la première fois.

Le sombre arrivait. Le jour déclinait. Nous aussi. Le froid nous ramena à la voiture. Je décidai de passer par la forêt avant de revenir. Rien ne nous pressait. La pluie, de nouveau, rendait la route dangereuse. La nuit médocaine reprenait ses droits. Je roulais trop vite. Elle me le fit remarquer mais je n'écoutais plus. Nous avions quitté depuis quelques minutes la route des vignes quand je ralentis pour m'engager dans un chemin vicinal.

– Que fais-tu ?

– On chasse maintenant.

– On chasse ?

– Sans fusil, à la voiture. Lapin ou chevreuil, on va bien voir.

– Tu es fou ? Arrête. Arrête ! cria-t-elle.

Je bloquai la Nissan. Elle sauta hors de l'habitacle, sous la pluie, claqua la portière et donna un coup de poing sur la vitre.

J'appuyai violemment sur l'accélérateur. La destruction ne connaît qu'une logique. Quelques minutes après, ma colère passée, je fis demi-tour pour retrouver Sophia. Cette route était déserte, elle ne trouverait personne pour rentrer. Notre histoire se finissait mal, c'est ce qu'elle désirait, non ?

Le flou, G, c'est maintenant. Je la revois se jeter au milieu de la route brusquement. Une silhouette dans les phares. Mon pied qui se trompe de pédale, la voiture qui bondit, le choc, le corps qui vole. Je crie.

Elle gisait sur le ventre, les bras à demi déployés. De son crâne fracassé coulait un sang vif que la pluie délavait. Son œil à demi fermé ne contemplait plus rien. Pauvre petit merle. Je la traînai un peu plus loin dans le bois. Puis je revins à la voiture pour prendre, dans le coffre, la pelle qui me servait habituellement à me désembourber lorsque je m'aventurais trop profond dans le monde des chasseurs.

Je restai longtemps debout sous la pluie. Je m'étais dévêtu pour ne pas me salir, laissant les habits dans le coffre. Près de l'arbre où j'avais enterré Sophia, je regardais mon sexe se raidir enfin.

Une éternité après, j'étais de nouveau au volant. J'avais fini la bouteille. Je planais sévère, Miles et Trane dans l'autoradio et la pédale à fond. Je fermai les yeux en riant.

Deux mois d'hôpital et un retrait de permis. Deux tonneaux et la riton-mobile à la casse. Comme on dit, il y a un dieu pour les alcoolos...

Dixième nuit

Je perçois faiblement des bruits en provenance du palier. Je crois reconnaître des voix. Je ne t'ai pas parlé cette nuit, G. À quoi bon ? La fatigue.

– C'est fini.

Sophia vient de poser la main sur mon épaule.

– C'est fini depuis longtemps...

Des coups contre le bois. On enfonce la porte. Mon âme s'en va. Il te reste mon fantôme. Je t'aime, G.

Ich ruf'zu Dir, Herr Jesu Christ.

Gilles Mangard

Médecin généraliste, il pratique actuellement au CES *de biologie et de médecine du sport de Bègles. Il a publié des textes dans la revue* Le Passant ordinaire *de 1996 à 2002.*

Table des matières

Achevé d'imprimer en mars 2003 sur les presses de l'imprimerie Corlet
à Condé-sur-Noireau, France, pour le compte des Éditions Autrement,
77, rue du Faubourg-Saint-Antoine, 75011 Paris. Tél. : 01 44 73 80 00. Fax : 01 44 73 00 12.
N° d'imprimeur : 63013. ISSN : 1272-0046. ISBN : 2-7467-0365-3.
Dépôt légal : avril 2003.